Trucs alimentaires et recettes anticancer

Dépôt légal : 3e trimestre 2009
Bibliothèque et Archives nationales du Québec
Bibliothèque nationale du Canada

Gouvernement du Québec
Programme de crédit d'impôt pour l'édition de livres
Gestion SODEC

Graphisme : Marie-Claude Parenteau

Cet ouvrage est basé sur 2 ouvrages
précédemment publiés chez Édimag :
Béatrice Morency. *Votre panier d'épicerie, une arme contre le cancer,* 2006.
Monique Gosselin. *Votre panier d'épicerie, des recettes avec des aliments anticancer,* 2007.

Imprimé en Chine

ISBN : 978-2-89638-601-7

Trucs alimentaires et recettes anticancer

Les Éditions
Coup d'œil

Table des matières

Introduction

Les études l'ont démontré : une consommation élevée de fruits et de légumes réduit les risques de cancers liés aux systèmes nerveux et pulmonaire. Pourquoi ? Simplement parce qu'ils sont remplis de composés phytochimiques aux propriétés antioxydantes, qui préviennent l'apparition de la maladie. À la base d'une bonne santé et au-delà de votre style de vie, il y a une bonne alimentation qui est le gage de la longévité.

Bien sûr, on peut y ajouter un peu d'exercice. L'exercice permet au sang de s'emplir d'oxygène. Le sang transmet alors ce carburant aux muscles et aux organes, améliore les performances du cœur, favorise la circulation sanguine en dilatant les artères, régularise la tension artérielle, diminue le surpoids en éliminant les calories excédentaires, agit favorablement sur le métabolisme des graisses et des sucres et augmente le bon cholestérol. Mais tout ceci n'aura pas beaucoup d'effet si vous mangez mal… ou si vous mangez trop peu de bons aliments. L'alimentation doit être équilibrée et riche en fruits et légumes. Remplis de minéraux et de vitamines, notamment de vitamine C, ceux-ci contiennent aussi des fibres qui calment l'appétit de façon rapide et durable et qui facilitent le transit intestinal. Gorgés d'eau, ils procurent peu de calories et sont donc des aliments de choix pour la prévention de l'obésité et du diabète. Leurs antioxydants pourraient expliquer l'effet protecteur reconnu des fruits et légumes vis-à-vis des maladies cardiovasculaires et des cancers.

Dans ce livre, vous découvrirez quels aliments sont efficaces pour contrer certaines maladies, des problèmes oculaires aux cancers en passant par les difficultés du système sanguin et comment les apprêter. Ce sont des aliments qui devraient impérativement se retrouver sur votre liste d'épicerie. Il y va de votre santé après tout, et bien manger ne coûte pas nécessairement plus cher alors régalez-vous et restez en santé !

Une alimentation saine, une arme efficace contre le cancer

Certains aliments contiennent des substances cancérigènes. Il faut chercher à les éviter. Parfois, ce sont de véritables cocktails chimiques qui peuvent causer du tort à votre corps. Ces aliments, il faut les éliminer à tout prix.

Par contre, pour bénéficier des propriétés anticancer de l'alimentation, il faut savoir quels aliments contiennent des substances qui nous aideront à lutter contre l'apparition du cancer.

Première étape : une alimentation équilibrée

Que faut-il faire pour manger de façon équilibrée? Il faut consommer quotidiennement une grande variété d'aliments sains provenant de tous les groupes alimentaires pour absorber la quantité de nutriments dont nous avons besoin afin que notre corps fonctionne bien et qu'il puisse se régénérer convenablement.

Nous trouvons ces nutriments dans :

- les fruits et légumes ;
- les produits céréaliers ;
- les noix, les graines et les légumineuses ;
- les poissons et les œufs ;
- les viandes ;
- les huiles et les matières grasses.

Les premiers aliments de cette liste devraient être les plus abondants, et les derniers devraient être consommés en moins grandes quantités.

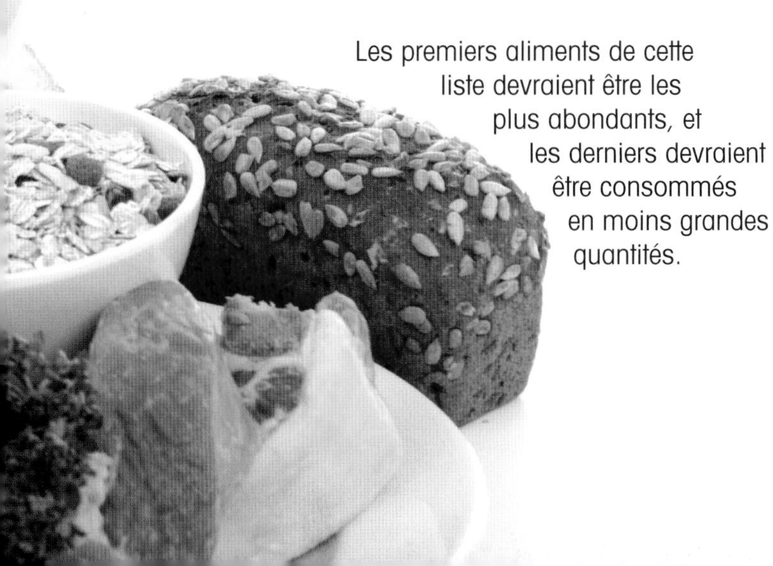

Si ce n'est pas votre cas actuellement, vous devez apporter des modifications selon vos capacités à le faire. Certains peuvent changer leur alimentation du tout au tout sans problème, alors que d'autres devront procéder à un rythme plus lent. L'important, c'est de respecter votre propre rythme pour atteindre votre objectif : manger plus de fruits et légumes, de produits céréaliers complets, de poisson, de substituts de viande comme les œufs, les légumineuses ; manger moins de viande, de sucreries, de céréales incomplètes.

Intégrer à votre menu de plus en plus de recettes végétariennes est une bonne façon de faire des progrès.

Objectifs :

- Mangez de 5 à 10 portions de fruits et légumes quotidiennement.
- Prenez deux repas de poisson par semaine.
- Éliminez le café ou diminuez à une tasse par jour.
- Buvez suffisamment d'eau.
- Intégrez à votre menu du tofu, des légumineuses, du poisson et des fruits de mer.
- Intégrez quotidiennement de l'ail dans vos recettes.
- Buvez un verre de vin rouge de temps à autre, mais éliminez les autres alcools.
- Évitez les sucreries et les friandises le plus possible.
- Évitez de grignoter entre les repas
- Évitez les repas préparés industriellement.
- Évitez les charcuteries et les viandes fumées.

Petit truc pour faire votre épicerie sainement

Les grands marchés d'alimentation adoptent tous, à quelques exceptions près, la même disposition de leurs allées. Lorsque vous entrez, vous vous retrouvez dans la section des fruits et légumes. C'est un passage obligé, ou presque, et c'est excellent ! Au bout de cette section, vous débouchez sur la section des viandes, volailles et poissons. Si vous allez au bout de cette section, vous arrivez dans la section des produits réfrigérés. Vous y trouverez les légumes et les fruits congelés, les produits laitiers, les œufs.

Essayez de vous en tenir à ces sections pour la plus grande partie de votre épicerie. Vous échapperez à la tentation d'acheter bien des produits néfastes pour votre santé, qui se retrouvent dans les autres allées : croustilles, boissons gazeuses et cocktails de fruits sucrés, céréales à déjeuners sucrées et non complètes, friandises, produits contenant des gras trans, etc.

Dans ces aliments, il y a souvent trop d'additifs, de préservatifs, de sucre, de sel, de mauvais gras. Tous ces produits peuvent s'avérer néfastes s'ils se trouvent trop souvent dans votre alimentation.

Les excuses

On entend souvent des gens se plaindre de n'avoir pas le temps de cuisiner et d'avoir un mode de vie très exigeant qui les oblige à s'alimenter sur le pouce avec des aliments préparés en industrie.

C'est vrai qu'aujourd'hui tout va vite et que nous sommes constamment sollicités par toutes sortes d'activités. Dans les familles, la situation est amplifiée car les parents ont encore plus de responsabilités. C'est vrai, mais d'un autre côté nous n'avons jamais eu autant de moyens de nous approvisionner en aliments frais tous les jours de la semaine, 16 heures par jour.

De plus, il n'y a jamais eu autant de livres avec comme objectif de nous faire connaître une multitude de recettes savoureuses préparées en un temps record.

Par contre, il faut un minimum d'organisation et de savoir-faire pour bien planifier les menus et trouver des recettes santé qui sauveront temps et énergie en offrant aussi la possibilité de congeler pour disposer plus tard de portions supplémentaires.

Autre excuse : le budget

Il est faux de croire que bien manger signifie nécessairement dépenser plus. Ça peut même être le contraire. Les légumes et les fruits de saison coûtent souvent moins cher que les charcuteries, les fromages, les plats précuits et congelés en industrie. Les céréales complètes et les légumineuses sont également très bon marché.

Une nouvelle stratégie de lutte contre le cancer

Au cours des dernières années, on a découvert que dans les tissus humains il pouvait y avoir une multitude de microtumeurs en latence. Ces tumeurs microscopiques ne sont pas détectables avec les moyens conventionnels. Plusieurs facteurs peuvent favoriser leur éveil, alors que d'autres facteurs les empêcheront de se développer.

Parmi ces facteurs inhibants, l'un prédomine, c'est le manque d'oxygène et de nutriments pour les cellules cancéreuses. Cette disette aura pour effet de bloquer leur prolifération. L'oxygène est essentiel à la survie des cellules, et les tumeurs cherchent constamment à s'alimenter à partir des vaisseaux sanguins avoisinants. Les cellules constituant les tumeurs ont même des leurres chimiques pour détourner à leur profit des vaisseaux sanguins qui passent à proximité.

Pour empêcher la croissance du nombre de cellules cancéreuses à l'intérieur des tumeurs et pour arriver à détruire les tumeurs, la médecine moderne a de plus en plus recours à une nouvelle génération de médicaments qui ont comme particularité de stopper la formation des réseaux de vaisseaux sanguins dont se servent les tumeurs.

Les recherches récentes nous dévoilent aussi que de nombreux aliments contiennent de façon naturelle des composés chimiques capables d'agir de la même façon que ces nouveaux médicaments. Les scientifiques ont donc déduit qu'un apport quotidien de ces substances chimiques, présentes dans les aliments que l'on appelle maintenant anticancer, pourrait prévenir la formation de tumeurs malignes.

En fait, certains aliments contiennent certaines de ces substances qui empêchent des tumeurs déjà présentes de se développer et de devenir menaçantes en s'attaquant directement aux tumeurs et à leur réseau sanguin. Certains aliments contiennent aussi des antioxydants puissants qui éliminent les radicaux libres. Les radicaux libres occasionnent des dégâts aux cellules, qui deviennent alors potentiellement cancéreuses.

Quels sont les aliments anticancer?

Les aliments anticancer sont présents dans différentes familles d'aliments. On a beaucoup entendu parler des fruits et légumes, mais, même si de nombreux aliments anticancer se trouvent dans ces groupes d'aliments, il y en a d'autres qui peuvent surprendre à première vue. Mentionnons par exemple le chocolat et le vin. Ce qui n'est pas un inconvénient!

Parmi les meilleurs aliments ou groupes d'aliments anticancer que nous vous présentons dans ce livre, on trouve :

- les agrumes ;
- l'ail, l'oignon et le poireau ;
- le brocoli ;
- le chocolat ;
- le chou ;
- le chou de Bruxelles ;
- le curcuma ;
- les oméga-3 ;
- les petits fruits ;
- la pomme ;
- le soya ;
- le thé vert ;
- la tomate ;
- le vin rouge.

Bien d'autres aliments contiennent des composés phytochimiques et des antioxydants aux propriétés anticancer. Ceux que nous avons choisis figurent parmi les mieux reconnus à ce jour. Voici une courte liste non exhaustive d'aliments potentiellement anticancer :

- algues marines ;
- artichaut ;
- aubergine ;
- avocat ;
- basilic ;
- câpres ;
- céleri ;
- cerise ;
- épinard ;
- laitue ;
- mangue ;
- noix fraîches ;
- persil ;
- poire ;
- son de blé ;
- thym.

Quelques aliments potentiellement cancérigènes sont à éviter :

- charcuteries ;
- viandes fumées ;
- viandes carbonisées ;
- fritures ;
- marinades.

MOTS SAVANTS RECHERCHÉS

Pour éviter la cancérogénèse, c'est-à-dire la formation de cellules cancéreuses, plusieurs substances peuvent vous aider.

On trouve des polyphénols dans les fruits et les baies dans les légumes, les noix, le café (eh oui!), le soya et le safran. Les flavonoïdes se cachent quant à eux dans les fruits (surtout les agrumes), les légumes, le thé et le vin. Les composés soufrés se trouvent dans les plantes alliacées (ail, poireaux, oignons, ciboulette) et les crucifères, qui contiennent aussi des isothiocyanates et des indoles. Les huiles essentielles d'agrumes et la réglisse sont de bonnes sources de terpènes. Enfin, tous les végétaux verts regorgent de chlorophylle.

CRU OU CUIT ?

On sait que les vitamines et les minéraux ont du mal à résister à la chaleur intense. Ainsi, il est mieux de consommer vos fruits et légumes frais pour en retirer le maximum d'éléments nutritifs. Par contre, les antioxydants et d'autres composés phytochimiques ne réagissent pas à la cuisson. Dans le cas de la tomate, c'est même la chaleur qui active le potentiel antioxydant de ce fruit.

Le seul conseil qu'on peut donner à quelqu'un qui mange peu de légumes, c'est d'en manger sous la forme qu'il ou elle préfère. On n'attire pas les mouches avec du vinaigre après tout! Si vous n'aimez pas les brocolis crus, vous n'en mangerez pas. Il est donc préférable pour vous de continuer à les faire cuire à l'eau ou à la vapeur pour aller chercher ce dont vous avez besoin en vitamines. Un petit truc alors: conservez l'eau de cuisson pour en faire une soupe, par exemple. Vous ne gaspillerez rien!

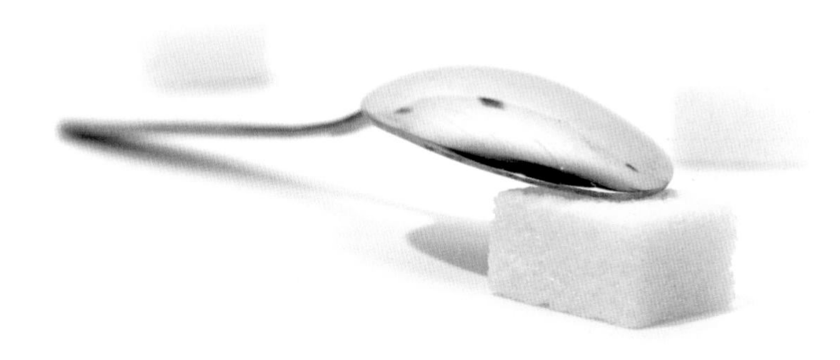

UN MOT SUR LE SEL ET SUR LE SUCRE

La plupart des aliments que l'on consomme sont déjà salés. Toute la nourriture industrielle contient nettement plus de sel qu'il nous en faut dans la journée. Pourquoi saler en plus ?

C'est exactement la même chose en ce qui concerne le sucre. Il n'est pas utile d'en ajouter, car tout ce que nous mangeons (sauf peut-être les canneberges et d'autres rares exceptions) est déjà sucré. C'est particulièrement vrai dans le cas des petits plats dits légers, où on a remplacé une partie des calories liées aux matières grasses par d'autres calories, liées aux sucres. Ouvrez l'œil !

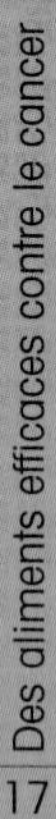

Des aliments efficaces contre le cancer

Dans les pages qui suivent, vous découvrirez des aliments qui ont des propriétés reconnues pour leur efficacité dans le maintien d'une bonne santé et dans la prévention de différents types de cancers. Ces aliments ont des bienfaits pour la santé, mais il faut tout de même prendre en compte certaines mises en garde relatives à chacun.

Agrumes

orange • pamplemousse • citron • mandarine

Les agrumes sont de véritables trésors pour le corps humain. Ces fruits revitalisants renferment non seulement des vitamines et des minéraux en grandes quantités, mais ils sont aussi très concentrés en composés phytochimiques et en antioxydants anticancer.

Une simple orange peut contenir entre 175 et 200 agents actifs contre le vieillissement des cellules et contre le cancer. Des études sérieuses provenant d'une multitude de pays ont prouvé depuis longtemps ces effets non négligeables sur la santé.

On parle aussi d'effets bienfaiteurs sur la bonne santé des vaisseaux sanguins, de propriétés anti-inflammatoires et d'un renforcement du potentiel anticancer d'autres aliments.

CONSOMMATION MINIMUM RECOMMANDÉE

1 agrume par jour.

BIENFAITS POUR LA SANTÉ

- Particulièrement efficaces pour prévenir le cancer de la bouche, du pharynx, de l'œsophage et de l'estomac.
- Pourraient diminuer le cholestérol sanguin.
- Combattent l'action des radicaux libres qui sont une importante cause de dégradation des cellules.

ATTENTION

Selon certaines études, il est moins recommandé de manger des agrumes dans la deuxième partie de la journée, c'est-à-dire après 16 h. Le meilleur moment de la journée pour en consommer est le matin.

Ail • oignon • poireau

L'ail, l'oignon et le poireau font partie de la famille des liliacées. Ces légumes sont depuis très longtemps considérés aussi bien comme des aliments que comme des médicaments. Depuis plusieurs millénaires, on leur attribue la propriété d'augmenter la force et l'endurance ainsi que l'immunité face à plusieurs maladies. Au cours de l'histoire et dans de nombreuses civilisations, l'ail a été associé à des remèdes contre la peste, les infections, les problèmes respiratoires et digestifs, l'asthme, etc.

Les propriétés des composés phytochimiques de la famille des liliacées sont aussi très appréciées de nos jours pour leurs effets antioxydants et anticancer.

CONSOMMATION MINIMUM RECOMMANDÉE

- Ail : 5 gousses par semaine.
- Oignon : 3 de grosseur moyenne par semaine.
- Poireau : 1 par semaine.

BIENFAITS POUR LA SANTÉ

Ail

- Particulièrement efficace pour prévenir le cancer du poumon, de la peau et du côlon.
- Aussi reconnu pour ses bienfaits contre les maladies cardiovasculaires, contre le mauvais cholestérol, pour la stimulation du système immunitaire, contre l'arthrite, l'athérosclérose et les infections comme le rhume, la bronchite, la goutte et les problèmes digestifs.

Oignon et poireau

- Efficaces plus particulièrement pour prévenir le cancer du cerveau, de l'estomac, de l'œsophage, du côlon et du sein.
- Favorisent le transit intestinal, stabilisent le taux de sucre dans le sang.
- Baissent la tension artérielle en augmentant la fluidité du sang.

ATTENTION

Certaines personnes digèrent mal l'ail. Assurez-vous d'enlever le germe dans la partie centrale de la gousse avant de l'ajouter à la préparation de vos recettes.

Brocoli

Bonne nouvelle pour ceux qui n'aiment pas les légumes crus : les principaux anti oxydants que le brocoli contient en très grandes quantités résistent à la chaleur !

Le brocoli est aussi très riche en vitamines, en minéraux et en composés phytochimiques anticancer, ce qui en fait un légume extrêmement efficace pour contrer la formation de tumeurs cancéreuses.

CONSOMMATION MINIMUM RECOMMANDÉE

125 ml (1/2 tasse) par jour.

BIENFAITS POUR LA SANTÉ

- La vitamine B9 du brocoli pourrait permettre la prévention du cancer du côlon.
- Les grandes quantités de fibres du brocoli pourraient éviter des maladies intestinales en facilitant le transit intestinal.
- L'acide folique que l'on trouve dans le brocoli prévient des malformations chez le fœtus.
- Le brocoli serait aussi bénéfique pour l'entretien des cellules et pour la santé de l'œil.

ATTENTION

Il est recommandé de bien rincer le brocoli sous l'eau du robinet avant de le consommer afin d'enlever les traces de pesticides qui pourraient être encore présentes. Le brocoli est un des légumes les plus sujets à en conserver à sa surface.

Chocolat

Qui aurait dit qu'un jour on parlerait du chocolat comme d'un aliment bon pour la santé?

Eh bien, oui! Par contre, pas n'importe lequel. On parle ici de chocolat noir (70 % et plus de cacao). Il faut donc éviter à peu près toutes les barres de chocolat, car elles ne contiennent que très peu de cacao, mais beaucoup de sucre.

Les bienfaits du chocolat sont dus à de nombreux éléments phytochimiques et antioxydants contenus dans le cacao. Ces éléments sont au nombre d'environ 300, ce qui fait du cacao une excellente source de bienfaits potentiels.

Le chocolat est une véritable usine pour contrer certains désordres physiologiques et aussi certains penchants à la déprime. Car le cacao contient de la phényléthylamine, un composé antidépresseur.

CONSOMMATION RECOMMANDÉE

30 g (1 once) par jour.

BIENFAITS POUR LA SANTÉ

- A un potentiel antioxydant très grand pour contrer les effets des radicaux libres.
- Aide à réduire la tension artérielle et contribue à éviter les accidents cérébrovasculaires.
- Limite l'apparition de caillots sanguins.
- Peut empêcher l'apparition et la croissance de cellules cancéreuses, surtout aux poumons.

ATTENTION

- Il faut éviter la surconsommation.
- Certains chocolats peuvent contenir des traces de noix.
- Évitez aussi les chocolats additionnés d'huiles saturées.
- Si vous prenez votre chocolat avec du lait, les effets bénéfiques du cacao sur la tension artérielle seront bien moindres.

Chou

La famille des choux représente l'une des armes les plus redoutables contre le cancer. On devrait en consommer beaucoup et de plusieurs variétés (chou, chou de Bruxelles, chou-fleur, chou chinois).

Le chou a toujours eu une place de choix dans les recettes de nos mères, mais depuis une vingtaine d'années il n'a plus la cote. Espérons que l'intérêt grandissant pour les aliments anticancer ramènera sur nos tables ce légume aux immenses vertus protectrices.

Tous les choux ont des effets bénéfiques non seulement pour la prévention du cancer, mais aussi pour de nombreux autres problèmes de santé. Réintégrez les choux dans votre menu au plus tôt et vous en apprécierez toute la valeur et la saveur.

CONSOMMATION RECOMMANDÉE

125 ml (1/2 tasse) par jour.

BIENFAITS POUR LA SANTÉ

- Les légumes de la famille des choux sont très recommandés pour diminuer les risques de cancer du sein, du foie et de la vessie.
- Excellent pour protéger les yeux de problèmes comme la cataracte, le glaucome et la dégénérescence maculaire.
- Excellente source de vitamines et de minéraux pour lutter contre l'anémie.

ATTENTION

- Il est fortement recommandé de ne pas cuire le chou dans l'eau à moins que ce ne soit pour des soupes, car les principaux agents protecteurs sont solubles dans l'eau.

Curcuma

Cette épice cultivée presque exclusivement en Inde et en Asie du Sud-Est contient tellement d'éléments antioxydants qu'elle est considérée comme la championne du combat contre le vieillissement des cellules.

En ce qui concerne le cancer, le curcuma n'est pas en reste. Il contient des composés phytochimiques (les curcuminoïdes) qui ont la particularité d'arrêter la croissance des cellules cancéreuses et de les faire mourir.

Consommé avec certains aliments comme l'ananas et l'huile d'olive, le curcuma est encore plus efficace.

CONSOMMATION RECOMMANDÉE

5 ml (1 c. à thé) par jour.

BIENFAITS POUR LA SANTÉ

- Les composés phytochimiques contenus dans le curcuma empêchent le développement des tumeurs cancéreuses en bloquant la formation des vaisseaux sanguins nécessaires à la survie des tumeurs dans les cas de cancer du foie, de l'estomac, de l'intestin, de la peau, du côlon, du sein et de l'ovaire.
- Son effet anti-inflammatoire peut soulager des douleurs de l'arthrite, de coliques et de la goutte.
- Peut contribuer à faire baisser le cholestérol sanguin.

ATTENTION

- En trop grande quantité, le curcuma peut être une cause d'hémorragie chez les personnes souffrant de problèmes de coagulation du sang.
- La consommation de curcuma n'est pas recommandée pour les femmes enceintes.

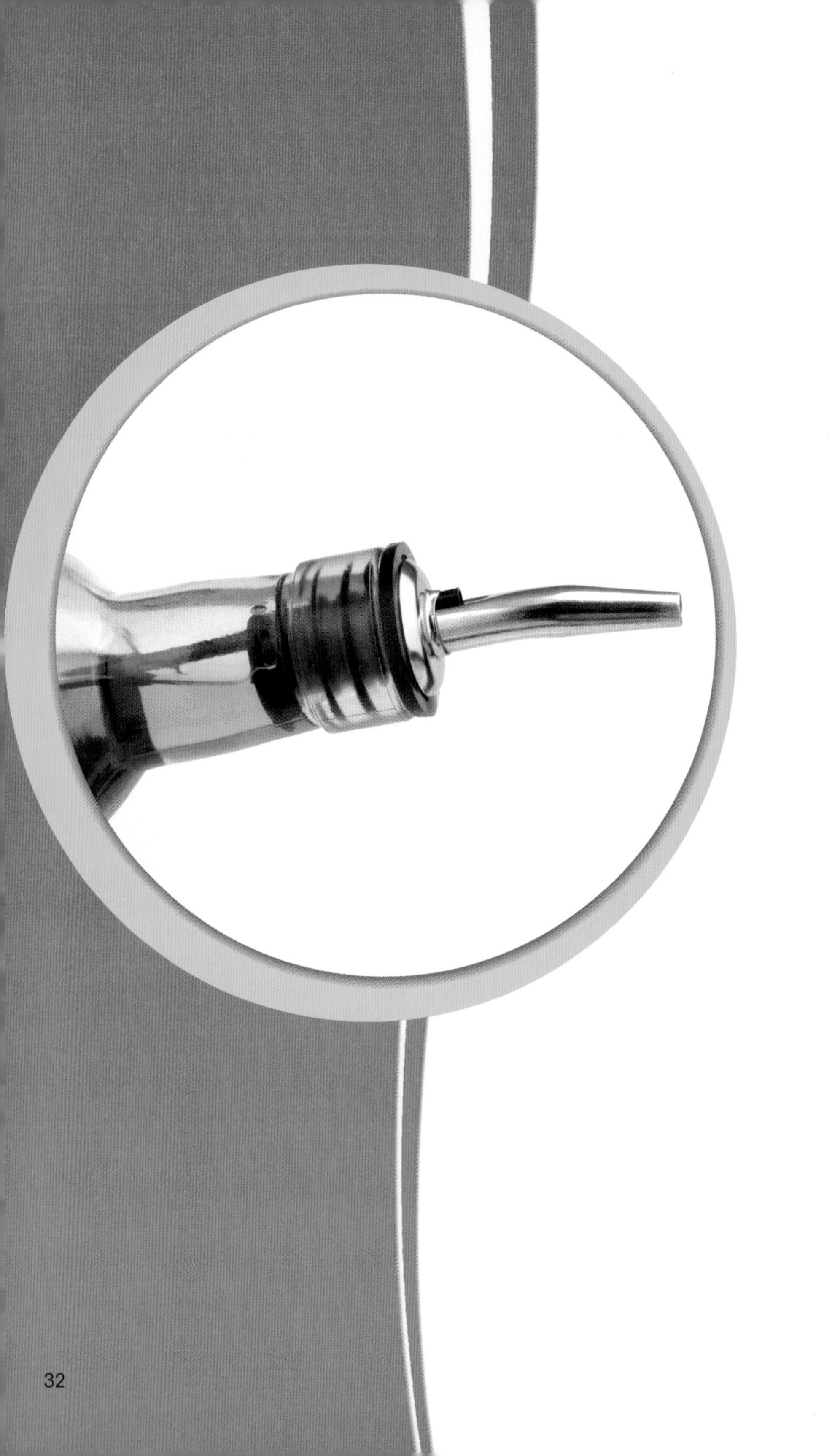

Huiles végétales

La plupart des huiles végétales sont excellentes pour la santé lorsque consommées modérément. Mais les huiles d'olive, de carthame, de pépins de raisin, de colza (canola), de noix et de tournesol sont particulièrement bénéfiques pour la santé.

Ce qu'il faut privilégier lorsque vous choisissez une huile, c'est sa teneur en gras polyinsaturés, qui doit être élevée. Vous devriez aussi choisir des huiles extraites à froid et de première pression. De plus, étant donné que la lumière altère la qualité des huiles, le contenant doit absolument être en verre de couleur foncée.

CONSOMMATION RECOMMANDÉE

15 ml (1 c. à soupe) par jour.

BIENFAITS POUR LA SANTÉ

- Les éléments bienfaiteurs des huiles pour votre santé sont les oméga-3 qui, combinés avec des antioxydants, empêcheraient la formation de cellules cancéreuses dans tous les types de cancer.
- Les oméga-3 contenus dans les huiles auraient aussi des effets atténuateurs sur le risque de maladies cardiovasculaires.

ATTENTION

- Lorsque vous utilisez une huile pour la cuisson, évitez de la faire trop chauffer.
- N'achetez pas votre huile en trop grande quantité, car elle pourrait rancir avant que vous ne la consommiez toute.

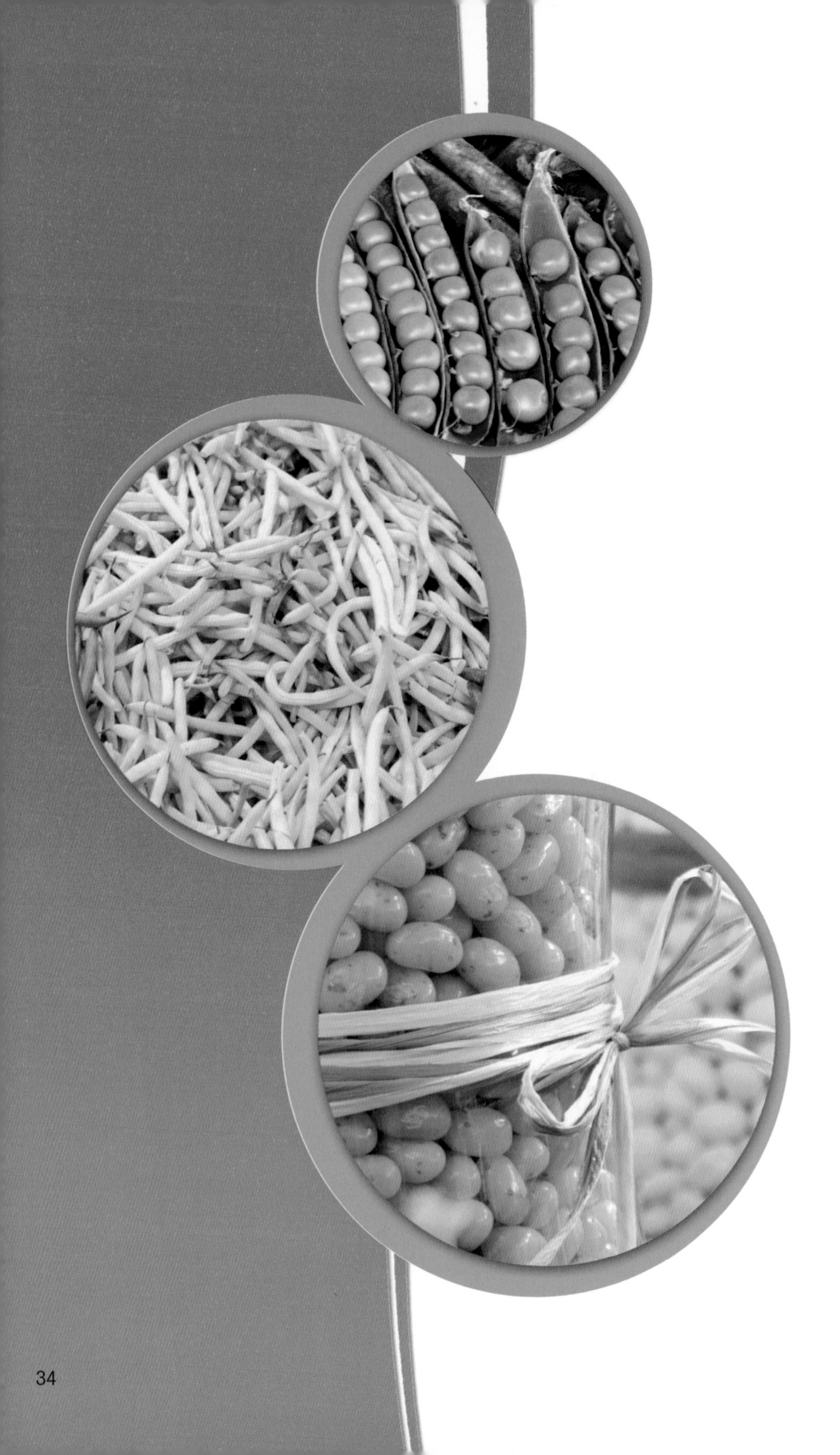

Légumineuses

Les légumineuses, en général, ont un effet très positif sur la santé, principalement parce qu'elles sont des aliments très nourrissants qui permettent de moins consommer de viande. Elles ont aussi des propriétés anticancéreuses.

Cela dit, les haricots rouges et les lentilles ont un effet plus certain et plus direct dans la lutte contre le cancer et dans la prévention des maladies cardiovasculaires.

CONSOMMATION RECOMMANDÉE

125 ml (1/2 tasse) par jour.

BIENFAITS SUR LA SANTÉ

- Pour les haricots rouges et pour les lentilles, on parle de bénéfices contre les cancers colorectal et de la prostate grâce à l'action d'antioxydants particulièrement actifs.
- Quant aux autres légumineuses, les effets anticancer sont présents, mais moins documentés.
- Avec une consommation régulière de légumineuses, les risques de maladies cardiovasculaires sont considérablement réduits.
- Diminution des risques de diabète de type 2.
- Par leur grande concentration en fibres et en protéines, les légumineuses peuvent aussi contribuer à réduire les risques d'obésité.

ATTENTION

- Dans les marchés d'alimentation, on trouve les légumineuses en conserve. Cela permet de les utiliser de façon plus pratique en évitant d'avoir recours au trempage et à la cuisson. Par contre, évitez les conserves qui contiennent des agents de conservation. La liste des ingrédients ajoutés devait se limiter à de l'eau et du sel.
- Il est conseillé de rincer les légumineuses en conserve avant l'utilisation pour les débarrasser de la substance visqueuse qui les rend moins digestes. Vous éviterez ainsi les flatulences.

Oméga-3

Les oméga-3 sont de très bons gras pour votre santé. Ils font partie des acides gras polyinsaturés et ils doivent absolument être présents dans l'alimentation car le corps humain ne peut les fabriquer lui-même.

Les oméga-3 sont reconnus pour leur effet anti-inflammatoire puissant, ainsi que leur effet positif dans la réduction des risques de maladies vasculaires et des risques de cancer.

Pour avoir accès à de bonnes sources d'oméga-3, il faut considérer les poissons gras (sardine, hareng, saumon de l'Atlantique et maquereau), l'huile d'olive, les noix de Grenoble fraîches et les graines de lin.

CONSOMMATION RECOMMANDÉE

- Sous forme de poisson : 2 repas par semaine.
- Autres sources végétales : tous les jours.

BÉNÉFICES POUR LA SANTÉ

- Les bienfaits d'une consommation de bons oméga-3 se font sentir en particulier dans la prévention du cancer (notamment du sein, de la prostate, du côlon et du pancréas) et des maladies cardiovasculaires.

ATTENTION

- En même temps que l'on augmente sa consommation d'oméga-3, il est important de réduire sa consommation d'oméga-6.
- La meilleure source d'oméga-3 est dans les aliments non transformés. Les oméga-3 sont plus difficilement assimilables dans les aliments transformés.

Petits fruits

Fraises • framboises • bleuets • mûres

Ces petits fruits délicieux ont été au cœur de l'alimentation de nos ancêtres Homo sapiens avant la découverte de l'agriculture. Ce sont donc des aliments très anciens qui devaient protéger les premiers humains contre bien des maladies et des infections en leur fournissant une très grande source d'antioxydants.

De nos jours, ces fruits sont très faciles à trouver en saison et, pour en consommer toute l'année, il suffit de les conserver congelés ou encore de les acheter congelés dans les marchés d'alimentation. Par contre, leur prix est plus élevé.

CONSOMMATION RECOMMANDÉE

125 ml (1/2) tasse par jour.

BIENFAITS POUR LA SANTÉ

- Les bleuets, les fraises et les framboises sont les aliments qui contiennent le plus d'un composé phytochimique particulièrement efficace (l'anthocyanine) pour prévenir le cancer du cerveau, du sein et du côlon.
- Très efficaces contre le cancer de l'œsophage.
- Les fraises sont reconnues pour leurs effets positifs sur les pertes de mémoire et sur la maladie d'Alzheimer.
- Accélèrent le processus de cicatrisation et renforcissent le système immunitaire.
- Riches en vitamine C, ce qui augmente l'absorption du fer.

ATTENTION

- Si vous cueillez vous-même vos petits fruits, assurez-vous de bien les laver, à moins que le producteur n'épande pas de pesticides — ce qui est assez rare.

Pomme

La pomme est véritablement un fruit bénit!

Revitalisantes et pleines de vitamines et de minéraux, toutes les variétés de pommes sont excellentes pour la santé à tout âge.

On dit de la pomme qu'elle est diurétique, laxative, antidiarrhéique, antirhumatismale, qu'elle aide la digestion et qu'elle facilite le transit intestinal.

La pomme s'intègre facilement à bien des recettes, non seulement des desserts, mais aussi des plats principaux. Par contre, rien de vaut, pour en profiter au maximum, une pomme fraîche que l'on croque à belles dents.

CONSOMMATION RECOMMANDÉE

1 pomme par jour.

BIENFAITS POUR LA SANTÉ

- L'action conjointe de la vitamine C et des antioxydants contenus dans la pomme a un effet notable sur le cancer du foie et du côlon.
- Diminution du taux de cholestérol sanguin.
- Diminution du risque de gingivite.

ATTENTION

- Il est plus profitable de manger la pomme avec la pelure, car une bonne partie des vitamines et des minéraux sont directement sous la peau. Il est toutefois recommandé de laver le fruit avec un savon pour les aliments et de bien rincer pour éliminer tout dépôt.

Soya

La popularité croissante du soya, depuis 15 ans, n'a que de bons avantages pour la santé. Extrêmement riche en vitamines, en minéraux, en protéines, en composés phytochimiques et en antioxydants, le soya peut se consommer sous différentes formes : tofu, fèves entières, lait, soupe, etc.

Le soya est un aliment qui remplace avantageusement la consommation de viande. La mauvaise réputation d'aliment sans saveur qui a été faussement attribuée durant des années au soya sous la forme du tofu est en phase de disparaître. Le soya est plein de saveur et de valeur !

CONSOMMATION RECOMMANDÉE

125 ml (1/2 tasse) par jour sous forme de tofu, de lait, de fève.

BIENFAITS POUR LA SANTÉ

- Il y a tellement de recherches sur les bienfaits du soya que l'on peut presque affirmer que les agents phytochimiques du soya sont à recommander pour prévenir toutes les formes de cancer.
- Des effets très positifs ont été observés en rapport avec la perte osseuse qui survient à la ménopause.
- Le tofu pourrait aussi avoir un effet remarquable pour diminuer le taux de cholestérol.

Thé vert

Le thé vert, en plus d'être une boisson très prisée, est le thé le plus bénéfique pour la santé. Il est très riche en minéraux, en vitamines, en composés phytochimiques et en antioxydants. Ce qui en fait un breuvage à consommer sans retenue!

Parmi les nombreux thés verts offerts sur le marché, les thés verts japonais sont ceux qui présentent le taux le plus élevé d'antioxydants. Ils en contiennent jusqu'à 20 fois plus que la vitamine E.

Ceux qui sont accros du café pour ses effets stimulants devraient regarder du côté du thé vert. En effet, le thé vert, grâce à la théine qu'il contient, est stimulant sans avoir les effets négatifs du café.

À moins d'être hypersensible à la théine qu'il contient, il n'y a aucune contre-indication à boire autant de thé vert que vous le désirez.

CONSOMMATION RECOMMANDÉE

2 tasses et plus par jour.

BIENFAITS POUR LA SANTÉ

- Les composés phytochimiques du thé vert sont d'excellents combattants contre les cellules cancéreuses, car ils agissent directement sur la capacité de vascularisation des tumeurs. Privées de leur capacité à créer de nouveaux vaisseaux sanguins, les tumeurs ne peuvent survivre.
- Particulièrement efficace pour prévenir les cancers de la prostate, du poumon, de la peau, de l'estomac, du côlon.
- Favorise la souplesse des vaisseaux sanguins.
- Aide à bien digérer.

ATTENTION

- Il n'est pas recommandé de préparer à l'avance une quantité de thé vert et de le conserver dans un thermos pour le boire tout au long de la journée. Les agents actifs du thé peuvent s'oxyder et perdre une bonne partie de leur potentiel.

Tomate

La tomate est un aliment très répandu que l'on n'a pas trop de difficulté à intégrer dans l'alimentation quotidienne. Et c'est très bien ainsi ! Chez les populations qui en consomment de bonnes quantités régulièrement, comme les Italiens et les Mexicains, on remarque un taux de cancer de la prostate beaucoup plus faible que chez les autres populations.

Par contre, pour bien profiter des effets positifs de la tomate, il est préférable de la cuisiner. La pâte de tomates et la tomate cuite avec de l'huile d'olive sont particulièrement efficaces pour contrer l'apparition des cellules cancéreuses.

CONSOMMATION RECOMMANDÉE

1 fois par jour.

BIENFAITS POUR LA SANTÉ

- Un élément de la tomate, le lycopène, est très efficace pour prévenir le cancer, notamment du poumon, de l'estomac, de la prostate, de la peau, du sein, de la vessie et du col de l'utérus.
- Ce même lycopène donnera un bon coup de pouce à votre cœur et à vos vaisseaux sanguins pour contrer les effets du cholestérol.
- On dit que la tomate est aussi un bon diurétique, un laxatif et qu'elle est reminéralisante.

ATTENTION

- Certaines personnes peuvent avoir des réactions à l'acidité de la tomate. Lorsque vous cuisinez avec de la tomate, ajoutez une carotte entière que vous enlèverez à la fin de la cuisson. La carotte a la propriété d'absorber une partie importante de l'acidité.

Vin rouge

Boire un bon vin rouge est un grand plaisir pour beaucoup de gens. C'est vraiment une bonne nouvelle d'apprendre que ce plaisir est aussi une bénédiction pour la santé.

Des études récentes ont démontré qu'en plus d'être bonne pour le cœur, la consommation modérée de vin rouge diminuerait les risques de souffrir de certaines formes de cancer et aiderait aussi à conserver une bonne mémoire. On parle même de diminution des risques d'être atteint de la maladie d'Alzheimer.

On peut aussi profiter des bienfaits du vin rouge en l'utilisant dans la cuisson. Celle-ci éliminera les effets associés à l'alcool, car il s'évaporera avec la chaleur de la cuisson. L'effet le plus intéressant se situe du côté de la protection contre les infarctus.

CONSOMMATION RECOMMANDÉE

40 ml par jour.

BIENFAITS POUR LA SANTÉ

- Les antioxydants contenus dans le vin seraient efficaces contre la formation des tumeurs cancéreuses en général.
- Pour le cœur, notons que les effets bénéfiques se font sentir sur les risques d'infarctus et rendent les vaisseaux sanguins plus souples. Par contre, trop de vin annulera ces effets.

ATTENTION

- Si vous ne tolérez pas le vin, il vaut mieux vous abstenir.
- La consommation recommandée ici est très sage et est idéale pour accompagner un repas sans comporter d'inconvénients, mais il ne faudrait pas que vous deveniez dépendant de votre verre de vin. Si vous ne pouvez plus vous en passer, il vaudrait mieux vous arrêter pour quelque temps.

Soupes

Soupe de tofu, poireaux et pommes de terre

INGRÉDIENTS :

30 ml (2 c. à soupe) d'huile d'olive
30 ml (2 c. à soupe) de beurre
2 petits oignons, en dés
1 litre (4 tasses) de poireaux, en rondelles minces
1 litre (4 tasses) de pommes de terre, en dés
500 ml (2 tasses) de tofu ferme, en petits dés
2 litres (8 tasses) de bouillon (légumes, poulet ou bœuf)
1 feuille de laurier
1 pincée de thym
1 pincée de curcuma

INSTRUCTIONS :

Dans l'huile d'olive et le beurre, faire revenir les oignons et les poireaux jusqu'à ce qu'ils soient tendres. Ajouter les pommes de terre, le tofu, le bouillon, le thym, le laurier, le curcuma, le sel et le poivre. Amener à ébullition et laisser mijoter jusqu'à ce que les pommes de terre soient tendres.

INGRÉDIENTS ANTICANCER :

Huile d'olive, oignons, poireaux, tofu, thym, curcuma.

Potage de carottes et chou-fleur

INGRÉDIENTS :

30 ml (2 c. à soupe) d'huile d'olive
1 gousse d'ail émincée
1 oignon, en dés
750 ml (3 tasses) de carottes, en dés
1 chou-fleur en bouquets
1 litre (4 tasses) de bouillon de légumes
1 bouquet garni
Sel et poivre, au goût
15 ml (1 c. à soupe) de jus de citron
Ciboulette hachée

INSTRUCTIONS :

Dans un grand chaudron, faire chauffer l'huile et y faire dorer l'ail et l'oignon. Ajouter les carottes et laisser cuire 5 minutes à feu moyen-vif tout en brassant. Ajouter le chou-fleur et couvrir de bouillon. Ajouter le bouquet garni et laisser cuire à feu doux, à couvert, le temps que le chou-fleur et les carottes soient tendres. Assaisonner et ajouter le jus de citron. Passer le tout au mélangeur jusqu'à l'obtention d'une consistance lisse. Corriger l'assaisonnement. Servir chaud avec de la ciboulette.

INGRÉDIENTS ANTICANCER :

Huile d'olive, oignon, chou-fleur, citron.

Soupe minestrone

INGRÉDIENTS :

45 ml (3 c. à soupe) d'huile d'olive
1 poireau émincé
2 carottes en dés
1 bulbe de fenouil émincé
2 branches de céleri en demi-lunes
2 pommes de terre, en dés
250 ml (1 tasse) de haricots verts coupés en 2 ou 3
250 ml (1 tasse) de chou frisé haché grossièrement
250 ml (1 tasse) de haricots rouges en conserve, rincés et égouttés
1 navet, en dés
1 panais, en dés
Sel, au goût
2 litres (8 tasses) d'eau
2 courgettes en dés
250 ml (1 tasse) de bouquets de brocoli
250 ml (1 tasse) de pâtes pour la soupe (macaroni, alphabet, etc.)
45 ml (3 c. à soupe) de basilic frais, haché
15 ml (1 c. à soupe) de curcuma

INSTRUCTIONS :

Dans un grand chaudron, faire chauffer l'huile et y faire revenir le poireau. Ajouter les carottes, le fenouil, le céleri, les pommes de terre, les haricots verts, le navet, le chou et le panais.

Saler et laisser cuire 5 minutes à feu moyen. Verser l'eau et les haricots rouges, couvrir et laisser mijoter jusqu'à ce que les légumes soient cuits mais encore croquants. Incorporer les courgettes et le brocoli et porter à nouveau à ébullition. Ajouter les pâtes, le curcuma et le basilic, couvrir et laisser cuire encore 10 minutes. Servir chaud.

INGRÉDIENTS ANTICANCER :

Huile d'olive, poireau, chou, céleri, haricots rouges, brocoli, basilic, curcuma.

Potage aux lentilles et aux carottes

INGRÉDIENTS :

45 ml (2 c. à soupe) d'huile d'olive
1 oignon, en dés
2 gousses d'ail émincées
1 carotte, en dés
30 ml (2 c. à soupe) de persil frais, haché
250 ml (1 tasse) de lentilles vertes
1 litre (4 tasses) de bouillon de poulet
Sel et poivre, au goût
1 pincée de curcuma
Tofu

INSTRUCTIONS :

Dans un grand chaudron, faire chauffer l'huile et y faire dorer l'oignon et l'ail. Ajouter la carotte, le persil, les lentilles et le bouillon. Assaisonner et mettre le curcuma. Porter à ébullition, réduire le feu, couvrir et laisser mijoter 30 minutes. Vérifier la cuisson des lentilles, puis passer la soupe au mélangeur à main. Servir chaud sur quelques cubes de tofu nature.

INGRÉDIENTS ANTICANCER :

Huile d'olive, oignon, ail, lentilles, persil, curcuma, tofu.

Soupe aux haricots rouges

INGRÉDIENTS :

250 ml (1 tasse) de haricots rouges en conserve, rincés et égouttés
45 ml (3 c. à soupe) d'huile d'olive
2 gousses d'ail
1 oignon
2 carottes coupées en dés
1 poireau coupé en rondelles
2 branches de céleri en dés
125 ml (1/2 tasse) de brocoli haché
1 feuille de laurier
Sel et poivre, au goût
1 pincée de curcuma
2 litres (8 tasses) de bouillon de légumes
2 tomates en dés
2 pommes de terre pelées, en dés
2 courgettes tranchées
175 ml (3/4 tasse) de pâtes pour la soupe (macaroni, alphabet, etc.)
5 ml (1 c. à thé) de basilic séché

INSTRUCTIONS :

Dans un grand chaudron, faire chauffer l'huile et y faire dorer l'ail et l'oignon. Ajouter les haricots, les carottes, le poireau, le brocoli, le céleri et la feuille de laurier. Saler et poivrer. Verser le bouillon de légumes et porter à ébullition. Réduire le feu et ajouter les tomates, les pommes de terre, les courgettes et les pâtes. Couvrir et laisser cuire 1 heure. Passer au mélangeur à main en incorporant le basilic et le curcuma. Ajouter de l'eau ou du bouillon si la soupe est trop épaisse. Servir chaud.

INGRÉDIENTS ANTICANCER :

Huile d'olive, ail, oignon, poireau, brocoli, tomates, céleri, basilic, curcuma.

Crème de poireau

INGRÉDIENTS :

45 ml (3 c. à soupe) d'huile d'olive
6 poireaux lavés, pelés et coupés en rondelles
2 pommes de terre pelées et coupées en dés
1 oignon coupé en dés
1 gousse d'ail écrasée
750 ml (3 tasses) de bouillon de légumes
500 ml (2 tasses) de lait
1 pincée de curcuma

INSTRUCTIONS :

Dans une grande casserole, verser l'huile et y faire revenir les légumes pendant 2 minutes. Ajouter le bouillon de légumes. Couvrir et faire cuire à feu doux jusqu'à ce que les légumes soient tendres. Mettre le tout dans un mélangeur électrique et mélanger à petite vitesse pendant 3 minutes ou jusqu'à obtention d'une texture crémeuse. Ajouter le lait et mélanger encore 30 secondes. Servir.

INGRÉDIENTS ANTICANCER :

Poireaux, oignon, ail, curcuma.

Soupe chinoise

INGRÉDIENTS :

45 ml (3 c. à soupe) d'huile d'olive
250 ml (1 tasse) de brocoli haché
1 oignon coupé en huit
1 gousse d'ail écrasée
250 ml (1 tasse) de chou chinois émincé
175 ml (3/4 tasse) d'épinards frais hachés
1 boîte de 300 ml (10 oz) de crème de poulet
1 boîte de 300 ml (10 oz) de bouillon de poulet
375 ml (1 1/2 tasse) d'eau
1 ml (1/4 c. à thé) de gingembre moulu
5 ml (1 c. à thé) de sauce soya
125 ml (1/2 tasse) de champignons frais hachés
1 pincée de curcuma

INSTRUCTIONS :

Dans une grande casserole, faire chauffer l'huile. À feu moyen, faire revenir le brocoli, l'ail et l'oignon jusqu'à tendreté. Ajouter les ingrédients restants, sauf les champignons. Laisser mijoter le tout à feu doux de 8 à 10 minutes. Verser dans les bols à soupe, décorer de champignons tranchés et servir aussitôt.

INGRÉDIENTS ANTICANCER :

Huile végétale, brocoli, oignon, ail, chou chinois, épinards, sauce soya, curcuma.

Soupe paysanne

INGRÉDIENTS :

2 litres (8 tasses) de bouillon de légumes
2 grosses pommes de terre pelées, coupées en dés
3 carottes pelées, coupées en dés
375 ml (1 1/2 tasse) de chou frisé, haché
250 ml (1 tasse) de brocoli haché
1 gros oignon haché
2 branches de céleri hachées
1 gousse d'ail écrasée
5 ml (1 c. à thé) de sel
2,5 ml (1/2 c. à thé) de poivre
1 feuille de laurier
1 pincée de curcuma
30 ml (2 c. à soupe) de riz à grain long, cru
200 g (7 oz) de tofu en petits cubes de 2,5 cm (1 po)

INSTRUCTIONS :

Dans une très grande casserole, porter le bouillon à ébullition. Ajouter les pommes de terre, les carottes, le chou, l'oignon, le brocoli, le céleri, l'ail, le sel, le poivre, le curcuma et la feuille de laurier. Bien mélanger. Baisser le feu, couvrir et laisser mijoter 30 minutes. Ajouter le riz et le tofu et laisser cuire de 15 à 20 minutes à découvert. Enlever la feuille de laurier et servir aussitôt avec du pain chaud.

INGRÉDIENTS ANTICANCER :

Oignon, ail, céleri, chou, brocoli, curcuma, tofu.

Soupe de tofu aux légumineuses

INGRÉDIENTS :

30 ml (2 c. à soupe) d'huile d'olive
15 ml (1 c. à soupe) de beurre
2 petits oignons, en dés
4 gousses d'ail émincées
4 branches de céleri, en dés
250 ml (1 tasse) de brocoli haché
750 ml (3 tasses) de tofu ferme, en dés
1 boîte de 800 ml (28 oz) de tomates italiennes, en dés, avec leur jus
60 ml (4 c. à soupe) de pâte de tomates
2 litres (8 tasses) de bouillon (légumes, poulet ou bœuf)
1 pincée de sauge
1 pincée de curcuma
1 feuille de laurier
2 boîtes de 550 ml (19 oz) de mélange de légumineuses rincées et égouttées

INSTRUCTIONS :

Dans l'huile d'olive et le beurre, faire revenir l'oignon et l'ail. Ajouter le céleri, le brocoli, le tofu, les tomates, leur jus, la pâte de tomates, le bouillon, la sauge, le curcuma et le laurier, et amener à ébullition. Réduire le feu et laisser mijoter à feu doux jusqu'à ce que les légumes soient tendres. Ajouter les légumineuses. Bien mélanger.

INGRÉDIENTS ANTICANCER :

Huile d'olive, céleri, oignons, ail, brocoli, tofu, tomates, pâte de tomates, curcuma.

Salades

Salade d'épinards et de tofu

INGRÉDIENTS :

3 tomates en quartiers
1/2 poivron rouge en lanières
125 ml (1/2 tasse) de haricots germés
125 ml (1/2 tasse) de tofu, en dés
750 ml (3 tasses) d'épinards
1/2 boîte de 300 ml (10 oz) de mandarines
30 ml (2 c. à soupe) d'huile d'olive
5 ml (1 c. à thé) d'huile de sésame
30 ml (2 c. à soupe) de sirop de mandarine
10 ml (2 c. à thé) de sauce soya
5 ml (1 c. à thé) de gingembre frais, râpé
30 ml (2 c. à soupe) de graines de sésame grillées
30 ml (2 c. à soupe) de graines de lin moulues

INSTRUCTIONS :

Dans un bol à salade, déposer les tomates, les lanières de poivron, les haricots germés, le tofu et les épinards. Égoutter les mandarines, les ajouter aux épinards et en réserver le jus. Préparer la vinaigrette en fouettant ensemble les huiles, le sirop de mandarine réservé, la sauce soya et le gingembre. Verser sur le mélange d'épinards, mélanger et saupoudrer de graines de sésame et de graines de lin moulues. Servir frais.

INGRÉDIENTS ANTICANCER :

Tomates, haricots germés, tofu, épinards, mandarines, huile d'olive, sauce soya, graines de lin.

Salade de riz et de lentilles

INGRÉDIENTS :

125 ml (1/2 tasse) de lentilles vertes sèches
125 ml (1/2 tasse) d'un mélange de riz brun, blanc et sauvage
375 ml (1 1/2 tasse) d'eau
125 ml (1/2 tasse) de tofu, en dés
1 petit oignon rouge, en dés
1/2 poivron rouge, en dés
2,5 ml (1/2 c. à thé) de thym
2,5 ml (1/2 c. à thé) de persil
Sel et poivre, au goût
1 pincée de curcuma
15 ml (1 c. à soupe) de jus de citron frais
45 ml (3 c. à soupe) d'huile d'olive

INSTRUCTIONS :

Faire tremper dans des bols séparés les lentilles et le riz environ 1 heure. Faire bouillir les lentilles, en salant à mi-cuisson, jusqu'à ce qu'elles soient tendres mais encore fermes. Porter l'eau à ébullition et y faire cuire le riz. Bien rincer le riz et les lentilles pour les refroidir. Verser dans un grand bol à salade, puis ajouter le tofu, l'oignon rouge, le poivron rouge et les fines herbes. Assaisonner. Dans un petit bol, fouetter à la fourchette le jus de citron et l'huile, puis verser ce mélange sur la salade. Bien mélanger et servir ou réfrigérer.

INGRÉDIENTS ANTICANCER :

Lentilles, tofu, oignon, huile d'olive, thym, persil, curcuma.

Salade de bulghur et de tofu

INGRÉDIENTS :

375 ml (1 1/2 tasse) de bulghur cuit
250 ml (1 tasse) de tofu ferme, en dés
2 gousses d'ail hachées
1 tomate, en petits dés
500 ml (2 tasses) de persil frais, finement haché
125 ml (1/2 tasse) de menthe fraîche, finement hachée
Huile d'olive, au goût
45 ml (3 c. à soupe) de jus de citron
Sel et poivre

INSTRUCTIONS :

Mélanger le bulghur, le tofu, l'ail, les tomates, le persil et la menthe. Mouiller avec l'huile d'olive et le jus de citron. Saler et poivrer.

INGRÉDIENTS ANTICANCER :

Tofu, ail, tomates, huile d'olive, persil, citron.

Salade de poulet aux bleuets

INGRÉDIENTS :

250 ml (1 tasse) de vin rouge
60 ml (1/4 tasse) d'huile d'olive
15 ml (1 c. à soupe) de persil frais haché
1 gousse d'ail
375 ml (1 1/2 tasse) de bleuets
450 g (1 lb) de poulet non cuit, en dés
1 petit raddichio
Laitue romaine, au goût
1 endive
Sel et poivre, au goût

INSTRUCTIONS :

Dans un bol, mélanger le vin rouge, l'huile d'olive, le persil, l'ail et les bleuets. Verser le poulet et laisser mariner pendant deux heures. Égoutter le poulet et réserver le liquide. Faire sauter le poulet quelques minutes dans une poêle. Juste avant la fin de la cuisson, verser la marinade. Laisser réduire. Déposer des feuilles de raddichio, de romaine et d'endive dans les assiettes. Déposer le poulet et arroser de la marinade. Servir tiède. Donne 4 portions.

INGRÉDIENTS ANTICANCER :

Vin rouge, huile d'olive, persil, ail, bleuets, laitue.

Salade d'endives aux kiwis

INGRÉDIENTS :

4 endives en lanières
3 kiwis pelés, en dés
1/2 orange pelée, en dés
1/2 pomme pelée, en dés
Jus de 1 citron
50 g (2 oz) de gouda râpé
1 oignon rouge en rondelles
125 ml (1/2 tasse) de yogourt nature
15 ml (1 c. à soupe) d'huile d'olive
30 ml (2 c. à soupe) de ciboulette hachée
Sel et poivre

INSTRUCTIONS :

Dans un grand bol, verser les endives, les kiwis, l'orange et la pomme. Arroser de jus de citron. Ajouter le gouda et l'oignon rouge. Dans un autre bol, mélanger le yogourt, l'huile d'olive et la ciboulette. Saler et poivre. Verser cette sauce sur la salade et mélanger. Servir frais. Donne 4 portions.

INGRÉDIENTS ANTICANCER :

Kiwis, huile d'olive, ciboulette, pomme, orange, oignon.

Plats de tofu

Riz au tofu et aux légumes

INGRÉDIENTS :

15 ml (1 c. à soupe) d'huile d'olive
500 g (1 lb) de tofu nature coupé en dés
125 ml (1/2 tasse) de céleri tranché finement
1 oignon émincé
1 piment vert coupé en lanières
2,5 ml (1/2 c. à thé) de basilic
2,5 ml (1/2 c. à thé) d'origan
2,5 ml (1/2 c. à thé) de sel
2,5 ml (1/2 c. à thé) de poivre
375 ml (1 1/2 tasse) d'eau bouillante
5 ml (1 c. à thé) de sauce Worcestershire
375 ml (1 1/2 tasse) de riz précuit
1 pincée de curcuma

INSTRUCTIONS :

Dans une poêle munie d'un couvercle, faire chauffer l'huile et y faire rissoler le tofu. Ajouter les légumes et les assaisonnements. Faire revenir les légumes en brassant jusqu'à ce qu'ils soient tendres mais encore fermes. Ajouter l'eau, la sauce Worcestershire et porter le tout à ébullition. Incorporer le riz, brasser, couvrir et retirer du feu. Laisser reposer sans découvrir pendant 10 minutes avant de servir.

INGRÉDIENTS ANTICANCER :

Huile d'olive, tofu, oignon, céleri, basilic, curcuma.

Sandwich de tofu aux pommes et au curcuma

INGRÉDIENTS :

1/2 paquet de 500 g de tofu ferme
30 à 60 ml (2 à 4 c. à soupe) de mayonnaise
1 pincée de curcuma
15 ml (1 c. à soupe) de jus de citron
1 pomme jaune, en petits dés
Pain au choix (pita ou tranché)
Luzerne

INSTRUCTIONS :

Dans un bol, défaire le tofu à la fourchette. Y ajouter la mayonnaise, le curcuma, le jus de citron et les morceaux de pomme. Bien mélanger. Remplir le pain de la préparation et garnir le sandwich de luzerne.

INGRÉDIENTS ANTICANCER :

Tofu, curcuma, citron, pomme.

Tofu aux légumes sautés

INGRÉDIENTS :

60 ml (1/4 tasse) d'huile d'olive
500 ml (2 tasses) de carottes pelées, coupées en fines juliennes
500 ml (2 tasses) de chou haché
2 poivrons verts coupés en fines juliennes
4 asperges
250 ml (1 tasse) de choux de Bruxelles coupés en deux
250 ml (1 tasse) de tofu, en dés
125 ml (1/2 tasse) d'eau
2,5 ml (1/2 c. à thé) de moutarde sèche
7,5 ml (1 /2 c. à soupe) de sauce soya
1 pincée de curcuma
Sel et poivre, au goût

INSTRUCTIONS :

Dans une grande poêle, faire chauffer l'huile. Ajouter les légumes et les ingrédients restants. Couvrir et faire cuire à feu vif en remuant souvent jusqu'à ce que les légumes soient tendres mais encore fermes.

INGRÉDIENTS ANTICANCER :

Huile d'olive, chou, choux de Bruxelles, sauce soya, curcuma, tofu.

Couscous pilaf sur tofu

INGRÉDIENTS :

30 ml (2 c. à soupe) d'huile d'olive
1 oignon en dés
1 gousse d'ail émincée
125 ml (1/2 tasse) de champignons blancs hachés
125 ml (1/2 tasse) de petits pois
125 ml (1/2 tasse) de brocoli haché
1 tomate coupée en dés
15 ml (1 c. à soupe) de basilic frais, haché
5 ml (1 c. à thé) d'origan frais, haché
5 ml (1 c. à thé) de curcuma
30 ml (2 c. à soupe) de sauce soya
250 ml (1 tasse) de bouillon de légumes
160 ml (2/3 tasse) de couscous
Tranches de tofu

INSTRUCTIONS :

Dans un chaudron, faire chauffer l'huile et y faire dorer l'oignon et l'ail. Ajouter les champignons, les petits pois, le brocoli et la tomate, puis faire sauter quelques minutes. Saupoudrer de basilic, d'origan et de curcuma. Verser la sauce soya et le bouillon de légumes. Porter à ébullition, ajouter le couscous, couvrir et laisser mijoter 2 minutes avant de retirer du feu. Laisser reposer 5 minutes avant de servir avec des tranches de tofu nature.

INGRÉDIENTS ANTICANCER :

Huile d'olive, oignon, ail, brocoli, tomate, tofu, basilic, curcuma.

Poivrons farcis avec tofu

INGRÉDIENTS :

160 ml (2/3 tasse) d'un mélange de riz brun et sauvage
15 ml (1 c. à soupe) d'huile d'olive
2 gousses d'ail hachées finement
2 oignons hachés finement
175 ml (3/4 tasse) d'eau
175 ml (3/4 tasse) de jus de légumes
60 ml (1/4 tasse) de jus de tomate
80 ml (1/3 tasse) de maïs en grains
250 ml (1 tasse) de haricots rouges en conserve
5 ml (1 c. à thé) de basilic
5 ml (1 c. à thé) de thym
5 ml (1 c. à thé) de curcuma
1 ml (1/4 c. à thé) de sel de céleri
1 ml (1/4 c. à thé) de piments broyés
1 ou 2 gouttes de sauce tabasco
Sel et poivre, au goût
4 poivrons rouges
Lanières de tofu

INSTRUCTIONS :

Faire tremper le riz 1 heure dans l'eau. Dans un chaudron assez grand, faire chauffer l'huile et y faire revenir légèrement l'ail et les oignons. Verser l'eau, le jus de tomate et le jus de légumes, puis porter à ébullition. Ajouter le riz et faire cuire jusqu'à ce qu'il ne reste presque plus d'eau.

Rincer le maïs et les haricots et combiner au riz. Assaisonner et terminer la cuisson du riz. Goûter et ajuster l'assaisonnement. Couper le chapeau des poivrons. Épépiner, rincer et remplir de riz. Mettre au four de 20 à 25 minutes à 180 °C (350 °F). Servir décoré de lanières fines de tofu.

INGRÉDIENTS ANTICANCER :

Huile d'olive, ail, oignons, jus de tomate, haricots rouges, basilic, thym, curcuma.

Bâtonnets de tofu

INGRÉDIENTS :

60 ml (1/4 tasse) d'huile d'olive
1 ml (1/4 c. à thé) de piments broyés
1 paquet de 500 g (1 lb) de tofu ferme, en bâtonnets
30 ml (2 c. à soupe) de coriandre fraîche, hachée
30 ml (2 c. à soupe) de sauce soya
30 ml (2 c. à soupe) d'huile d'arachide
30 ml (2 c. à soupe) de vinaigre de riz
15 ml (1 c. à soupe) de curcuma
Sel, au goût

INSTRUCTIONS :

Faire chauffer l'huile d'olive avec les piments broyés dans une poêle. Y faire frire le tofu quelques secondes de chaque côté. Une fois cuit, déposer le tofu sur des essuie-tout pour absorber le surplus d'huile. Dans un bol, préparer une sauce avec la coriandre, la sauce soya, l'huile d'arachide, le curcuma et le vinaigre de riz. Servir les bâtonnets chauds nappés de sauce. Saler.

INGRÉDIENTS ANTICANCER :

Huile d'olive, tofu, sauce soya, huile d'arachide, curcuma.

Riz sauvage au tofu

INGRÉDIENTS :

250 ml (1 tasse) d'un mélange de riz brun et de riz sauvage
250 ml (1 tasse) de tofu en dés
750 ml (3 tasses) de bouillon de légumes
15 ml (1 c. à soupe) d'huile d'olive
2 gousses d'ail émincées
60 ml (4 c. à soupe) de noix de Grenoble fraîches et émiettées
2 oignons verts émincés
1 pincée de curcuma
Sel, au goût

INSTRUCTIONS :

Faire tremper le riz 1 heure ou plus. Verser le bouillon de légumes dans un chaudron et porter à ébullition. Rincer le riz et l'ajouter au bouillon. Réduire la chaleur et laisser mijoter jusqu'à l'obtention d'un riz tendre mais encore ferme. Réserver. Dans une poêle, verser l'huile d'olive et y faire dorer l'ail, les noix émiettées et les oignons verts. Saler. Ajouter le riz et faire sauter quelques secondes. Servir chaud sur le tofu.

INGRÉDIENTS ANTICANCER :

Huile d'olive, ail, noix de Grenoble, oignons, curcuma, tofu.

Riz frit à la chinoise avec tofu

INGRÉDIENTS :

30 ml (2 c. à soupe) d'huile d'olive
750 ml (3 tasses) de riz cuit refroidi
30 ml (2 c. à soupe) de sauce soya
1 pincée de cassonade
Tofu

INSTRUCTIONS :

Dans une grande poêle, faire chauffer l'huile à feu moyen. Ajouter le riz cuit froid et tourner pour bien enrober le riz d'huile. Ajouter 15 ml (1 c. à soupe) de sauce soya et la cassonade et faire frire en tournant sans arrêt jusqu'à l'obtention d'une couleur dorée. Goûter et ajouter de la sauce soya, au goût. Réduire le feu et laisser cuire doucement en remuant souvent, jusqu'à ce que le riz soit chaud et fumant. Servir sur des tranches de tofu nature.

INGRÉDIENTS ANTICANCER :

Huile d'olive, sauce soya, tofu.

Riz pilaf sur tofu

INGRÉDIENTS :

80 ml (1/3 tasse) d'huile d'olive
1 oignon moyen émincé
250 ml (1 tasse) de riz à grain long, cru
500 ml (2 tasses) de bouillon de légumes assaisonné
1 feuille de laurier
1 gousse d'ail
2 clous de girofle entiers
Tranches de tofu nature

INSTRUCTIONS :

Dans un plat allant au four, faire chauffer l'huile. Ajouter l'oignon et faire cuire jusqu'à transparence. Ajouter le riz et bien mélanger. Verser le bouillon assaisonné, la feuille de laurier, la gousse d'ail et les clous de girofle. Mélanger et amener à ébullition. Couvrir et cuire au four à 180 °C (350 °F) pendant 25 minutes ou jusqu'à ce que le liquide soit bien absorbé.
Au moment de servir, retirer la feuille de laurier, la gousse d'ail et les clous de girofle. Servir sur des tranches de tofu nature.

INGRÉDIENTS ANTICANCER :

Huile d'olive, oignon, ail, tofu.

Couscous aux tomates et au tofu

INGRÉDIENTS :

45 ml (3 c. à soupe) d'huile d'olive
2 gousses d'ail émincées
2 oignons en dés
2 grosses tomates en dés
2 poivrons verts en dés
6 gros champignons tranchés
1 carotte râpée
750 ml (3 tasses) de jus de tomate
454 g (1 lb) de tofu ferme, en dés
125 ml (1/2 tasse) de purée de tomate
125 ml (1/2 tasse) de parmesan
Sel, poivre, épices à spaghetti, thym, basilic, origan, romarin, persil, piment fort et feuille de laurier ou toute autre herbe au goût.

INSTRUCTIONS :

Dans un grand chaudron, chauffer l'huile et y faire revenir l'ail et l'oignon. Ajouter les tomates, les poivrons, les champignons et la carotte râpée. Mélanger. Verser le jus de tomate et laisser réchauffer. Ajouter le tofu et la purée de tomate. Laisser mijoter pendant 90 minutes. Servir sur du couscous.

INGRÉDIENTS ANTICANCER :

Huile d'olive, ail, oignons, tomates, tofu.

Tofu épicé en salade tiède

INGRÉDIENTS :

15 ml (1 c. à soupe) d'huile d'olive
125 ml (1/2 tasse) d'oignon, en dés
125 ml (1/2 tasse) de poivron rouge, en dés
454 g (1 lb) de tofu ferme, en dés
250 ml (1 tasse) de tomates en conserve
Sel et poivre au goût
2 ml (1/2 c. à thé) de paprika
2 ml (1/2 c. à thé) de poivre de Cayenne
1 kl (2 lb) d'épinards

INSTRUCTIONS :

Dans une poêle, chauffer l'huile et y faire revenir l'oignon avec le poivron. Ajouter le tofu et les tomates. Assaisonner de sel, de poivre, de paprika et de poivre de Cayenne. Laisser réduire la sauce jusqu'à l'obtention de la consistance désirée. Cuire les épinards dans l'eau bouillante salée. Égoutter. Déposer les épinards dans les assiettes et verser la mixture au tofu par-dessus. Servir tiède.

INGRÉDIENTS ANTICANCER :

Huile d'olive, oignon, tomates, tofu, épinards.

Sauces et trempettes

Légumineuses en crème

INGRÉDIENTS :

375 ml (1 1/2 tasse) d'un mélange de légumineuses cuites
(haricots rouges, doliques et pois chiches)
30 ml (2 c. à soupe) d'huile d'olive
Jus de 1 citron
2 gousses d'ail émincées
15 ml (1 c. à soupe) de coriandre hachée
2 oignons verts hachés
1 pincée de curcuma
Sel et poivre
Persil haché

INSTRUCTIONS :

Rincer les légumineuses et les verser dans un bol. Les broyer à l'aide d'un pilon. Ajouter l'huile d'olive, le jus de citron, l'ail, la coriandre, le curcuma et les oignons verts, puis mélanger afin d'obtenir un mélange onctueux. Saler et poivrer. Verser dans un bol de service et réfrigérer au moins 30 minutes avant de servir. Décorer de persil haché.

INGRÉDIENTS ANTICANCER :

Légumineuses, huile d'olive, citron, ail, oignons, curcuma, persil.

Trempette de légumes au tofu

INGRÉDIENTS :

1/4 d'un paquet de 500 g de tofu ferme, coupé en dés
1 gousse d'ail
1 carotte en rondelles
5 ml (1 c. à thé) de moutarde de Dijon
15 à 30 ml (1 à 2 c. à soupe) de mayonnaise
15 ml (1 c. à soupe) de jus de citron
1 pincée de basilic
1 pincée d'origan
1 pincée de curcuma
Sel et poivre, au goût

INSTRUCTIONS :

Mettre tous les ingrédients dans un robot culinaire et réduire en purée. Ajouter de la mayonnaise pour une texture plus crémeuse. Servir avec des légumes et des craquelins.

INGRÉDIENTS ANTICANCER :

Tofu, ail, citron, basilic, curcuma.

Trempette de tofu au curcuma

INGRÉDIENTS :

1/4 d'un paquet de 500 g de tofu ferme
15 à 30 ml (1 à 2 c. à soupe) de mayonnaise
Curcuma, au goût

INSTRUCTIONS :

Défaire le tofu à la fourchette. Ajouter la mayonnaise et le curcuma.

INGRÉDIENTS ANTICANCER :

Tofu, curcuma.

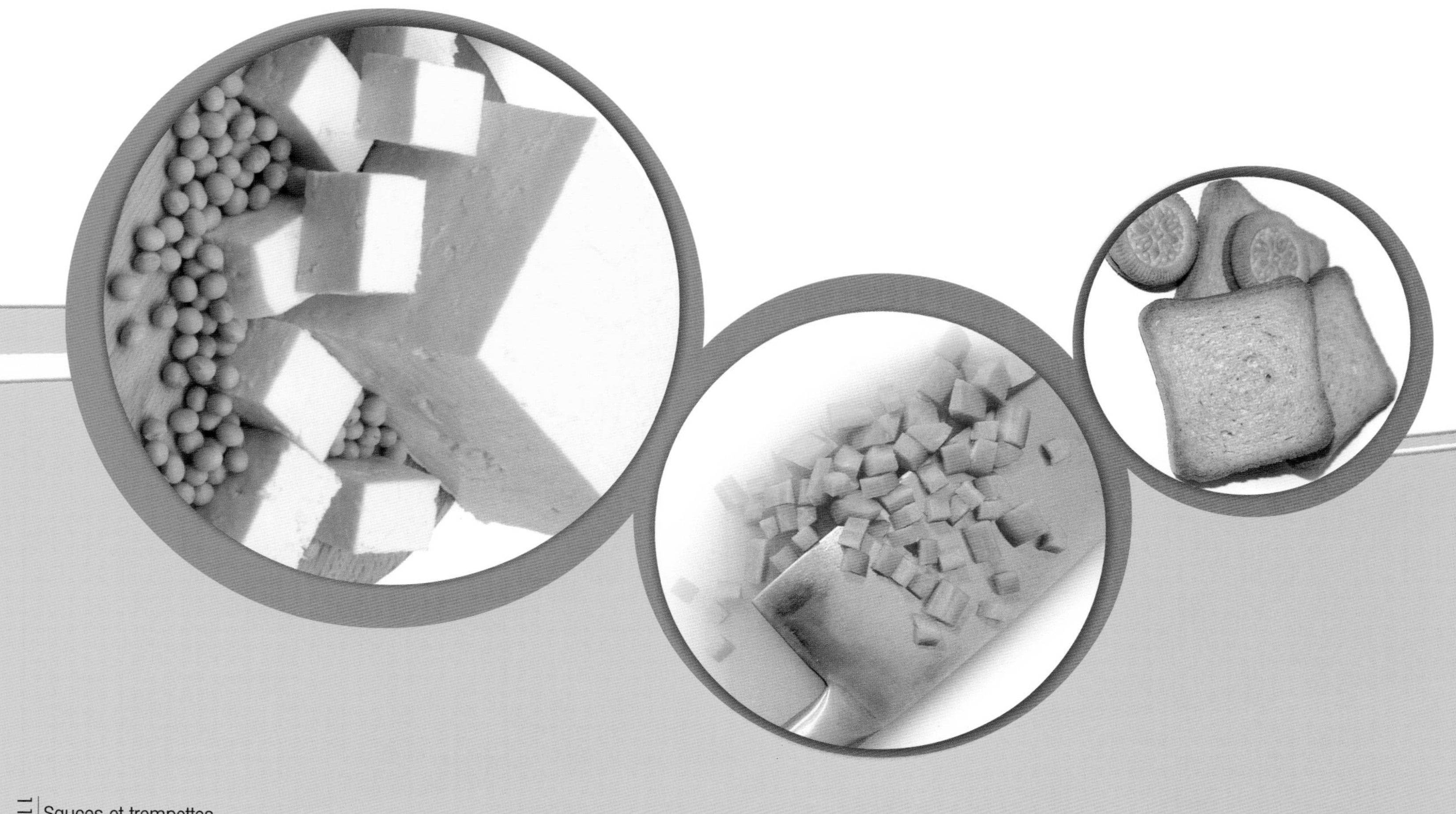

Guacamole au tofu

INGRÉDIENTS :

1/2 d'un paquet de 500 g de tofu ferme
3 avocats mûrs
90 à 120 ml (6 à 8 c. à soupe) de jus de lime ou de citron
4 gousses d'ail hachées
3 tomates en petits dés
125 ml (1/2 tasse) de coriandre fraîche, hachée finement
5 ml (1 c. à thé) de curcuma

INSTRUCTIONS :

Défaire le tofu à la fourchette. Défaire les avocats à la fourchette et ajouter le jus de lime ou de citron. Mélanger le tofu et la purée d'avocats. Ajouter l'ail, la tomate, le curcuma et la coriandre, et bien mélanger. Servir avec des croustilles de maïs.

INGRÉDIENTS ANTICANCER :

Tofu, avocat, ail, citron, tomates, curcuma.

Hummus au tofu

INGRÉDIENTS :

1/4 d'un paquet de 500 g de tofu ferme
250 ml (1 tasse) de pois chiches, rincés et égouttés
2 gousses d'ail, hachées
125 ml (1/2 tasse) de tahini (beurre de sésame)
30 ml (2 c. à soupe) de jus de citron
1 pincée de curcuma

INSTRUCTIONS :

Réduire en purée le tofu, les pois chiches et l'ail au robot. Ajouter le beurre de sésame, le curcuma et le jus de citron, et bien mélanger. Servir avec du pain pita.

INGRÉDIENTS ANTICANCER :

Tofu, pois chiches, ail, tahini, citron, curcuma.

Atocas au parfum d'orange

INGRÉDIENTS :

1 orange
340 g (12 oz) de canneberges fraîches
185 ml (3/4 de tasse) de sucre blanc
5 ml (1 c. à soupe) de Grand Marnier

INSTRUCTIONS :

Bien nettoyer l'orange. Retirer le zeste et réserver le jus. Dans un chaudron, verser les canneberges, le sucre et le jus d'orange. Chauffer à feu doux afin que les canneberges se défassent et que le jus épaississe. Retirer du feu et ajouter le Grand Marnier. Servir tiède sur des tranches de dinde chaudes.

INGRÉDIENTS ANTICANCER :

Orange, canneberges.

Poissons et fruits de mer

Crabe au gingembre

INGRÉDIENTS :

60 ml (4 c. à soupe) de vinaigre de riz
7 m (1 1/2 c. à thé) de gingembre frais haché
5 m. (1 c. à thé) de sauce soya
1 pincée de piment séché
750 ml (3 tasses) de chou chinois (bok-choï) haché
15 ml (1 c. à soupe) d'huile de sésame
227 g (1/2 lb) de chair de crabe
227 g (1/2 lb) de petites crevettes
4 ou 5 champignons shiitake hachés

INSTRUCTIONS :

Mélanger le vinaigre de riz, le gingembre, la sauce soya et le piment rouge dans un petit bol. Réserver la sauce. Blanchir les feuilles de chou chinois dans de l'eau salée bouillante pendant une minute. Égoutter et assécher. Dans un wok, chauffer l'huile de sésame et y verser le crabe et les crevettes. Ajouter les feuilles de chou et les champignons shiitake. Faire sauter pendant une minute et faire chauffer pendant une autre minute. Servir chaud.

INGRÉDIENTS ANTICANCER :

Huile de sésame, sauce soya, chou chinois, crevettes, crabe.

Saumon oriental

INGRÉDIENTS :

4 morceaux de saumon
60 ml (1/4 de tasse) d'huile d'olive
2 tomates séchées, hachées
Sel et poivre au goût
30 ml (2 c. à soupe) de jus de lime
30 ml (2 c. à soupe) de vinaigre balsamique
30 ml (2 c. à soupe) de sauce soya
30 ml (2 c. à soupe) d'échalote hachée
1/2 gousse d'ail haché
1 tomate en dés
30 ml (2 c. à soupe) de coriandre fraîche, hachée
15 ml (1 c. à soupe) de gingembre frais, râpé

INSTRUCTIONS :

Badigeonner les morceaux d'huile d'olive. Saupoudrer de morceaux de tomate séchée. Assaisonner au goût. Cuire au four à 350 °F (180 °C) pendant six ou sept minutes. Réserver au chaud sous une feuille d'aluminium. Mélanger le jus de lime, le vinaigre balsamique, la sauce soya, l'échalote, l'ail, la tomate, la coriandre et le gingembre. Verser sur le saumon cuit. Servir immédiatement.

INGRÉDIENTS ANTICANCER :

Saumon, huile d'olive, ail, tomates, sauce soya.

Saumon aux noix de grenoble

INGRÉDIENTS :

10 ml (2 c. à thé) d'huile d'olive
60 ml (1/4 de tasse) d'oignon émincé
1 gousse d'ail émincée
500 ml (2 tasses) d'épinards hachés
1 pincée de sel
2 ml (1/2 c. à thé) de poivre
250 ml (1 tasse) de riz brun cuit
10 ml (2 c. à thé) de zeste de citron
60 ml (1/4 de tasse) de fromage cheddar râpé
125 ml (1/2 tasse) de noix de Grenoble haché
450 g (1 lb) de filet de saumon sans la peau

INSTRUCTIONS :

Dans une grande poêle, faire chauffer l'huile à feu moyen. Ajouter les oignons et cuire cinq minutes. Incorporer l'ail, les épinards, le sel et le poivre. Cuire trois minutes. Retirer du feu et verser le riz brun et le zeste de citron. Étendre uniformément sur le filet de saumon et garder en place avec une ficelle. Enfourner sur une plaque à pâtisserie recouverte de papier ciré. Cuire à 375 °F (190 °C) de 15 à 20 minutes. Sortir du four. Couper le roulé de saumon en quatre rondelles. Servir chaud avec une salade verte.

INGRÉDIENTS ANTICANCER :

Saumon, huile d'olive, ail, oignon, citron, noix de grenoble.

Coquilles de la mer

INGRÉDIENTS :

175 ml (3/4 tasse) de chapelure maison
45 ml (3 c. à soupe) de parmesan râpé
30 ml (2 c. à soupe) d'huile d'olive
250 ml (1 tasse) de brocoli haché
125 ml (1/2 tasse) de poivron vert haché
250 ml (1 tasse) de mayonnaise
5 ml (1 c. à thé) de sel
5 ml (1 c. à thé) de moutarde sèche
1 pincée de curcuma
250 g (8 oz) de petites crevettes égouttées
1 boîte de 125 g (4 oz) de saumon, égoutté

INSTRUCTIONS :

Préparer la chapelure avec du pain de blé entier qui aura séché au four. Dans un petit bol, mélanger la chapelure, le fromage et l'huile. Réserver. Dans un grand bol, mélanger les autres ingrédients. Déposer ce mélange dans 6 coquilles épaisses. Garnir le contour de chacune du mélange de chapelure et fromage. Faire cuire au four pendant 25 minutes à 180 °C (350 °F). Servir chaud, décoré de persil et de quartiers de citron.

INGRÉDIENTS ANTICANCER :

Huile, crevettes, saumon, citron, brocoli, curcuma.

Filets de maquereau à la tomate

INGRÉDIENTS :

500 g (1 lb) de filets de maquereau
30 ml (2 c. à soupe) d'huile d'olive
1 oignon moyen haché fin
2 gousses d'ail écrasées
175 ml (3/4 tasse) de courgettes tranchées
1 boîte de 400 ml (14 oz) de tomates italiennes, égouttées
30 g (1 oz) de pâte de tomates
15 ml (1 c. à soupe) de persil haché
2,5 ml (1/2 c. à thé) de sel de légumes
125 ml (1/2 tasse) de fromage mozzarella râpé
1 demi-citron

INSTRUCTIONS :

Bien graisser un plat à gratin. Déposer les filets de poisson dans le plat. Presser sur le poisson le jus du demi-citron et réserver. Dans un poêlon, faire chauffer l'huile et y faire revenir l'oignon et l'ail. Ajouter les courgettes, les tomates, la pâte de tomates, le persil et le sel de légumes. Laisser mijoter le tout à découvert 5 minutes. Verser cette sauce sur les filets de poisson. Couvrir et faire cuire au four à 190 °C (375 °F) pendant 25 minutes. Après ce temps, retirer du four et saupoudrer de fromage. Remettre au four à découvert encore 15 minutes ou jusqu'à ce que le fromage soit fondu. Servir sur un lit de courgettes.

INGRÉDIENTS ANTICANCER :

Citron, maquereau, huile d'olive, persil, oignon, ail, tomate.

Brochettes de saumon et lotte au bouillon

INGRÉDIENTS :

1 escalope de saumon relativement épaisse
1 tranche de lotte très mince
3 tranches de citron
6 tomates cerises
1 gousse d'ail
1 poivron jaune
3 champignons
Coriandre
1 litre (4 tasses) d'eau
Sel et poivre

INSTRUCTIONS :

Pour préparer le bouillon, presser le citron et en ajouter le jus à l'eau qui commence à bouillir. Ajouter ensuite l'ail, le sel et le poivre. Laisser frémir une vingtaine de minutes, après quoi y mettre les champignons et la coriandre.

Couper le poisson en cubes. Piquer ensuite sur des brochettes de bois (il est préférable de faire tremper celles-ci dans l'eau quelques minutes auparavant : on évitera ainsi que le bois se fendille). Transvider le bouillon dans un plat à fondu et y tremper les brochettes. On peut servir ce plat avec du riz, bien entendu, rehaussé de sauce soya.

INGRÉDIENTS ANTICANCER :

Poisson, citron, ail, tomate.

Maquereau à la sauce tomate

INGRÉDIENTS :

45 ml (3 c. à soupe) d'huile d'olive pour la cuisson
15 ml (1 c. à soupe) d'huile d'olive pour badigeonner
1 gros oignon haché
2 gousses d'ail écrasées
125 ml (1/2 tasse) de brocoli haché
125 ml (1/2 tasse) de persil haché
1 kg (2 lb) de filet de maquereau
Sel, poivre, curcuma
1 boîte de 400 ml (14 oz) de crème de tomate
30 g (1 oz) de pâte de tomates

INSTRUCTIONS :

Faire chauffer l'huile dans une poêle allant au four. Y faire revenir l'oignon, l'ail et le brocoli. Retirer du feu. Ajouter le persil et mélanger. Déposer les filets de poisson sur le dessus. Badigeonner le maquereau d'un peu d'huile. Saupoudrer de sel, de poivre et de curcuma. Mettre au four à 190 °C (375 °F) à découvert pendant 15 minutes. Verser la crème de tomate et la pâte de tomates sur le poisson et remettre au four 35 minutes ou jusqu'à ce que le poisson soit bien cuit. Servir avec des choux de Bruxelles à la vapeur et une salade verte arrosée d'huile de noix.

INGRÉDIENTS ANTICANCER :

Huile d'olive, brocoli, oignon, tomates, persil, maquereau, curcuma.

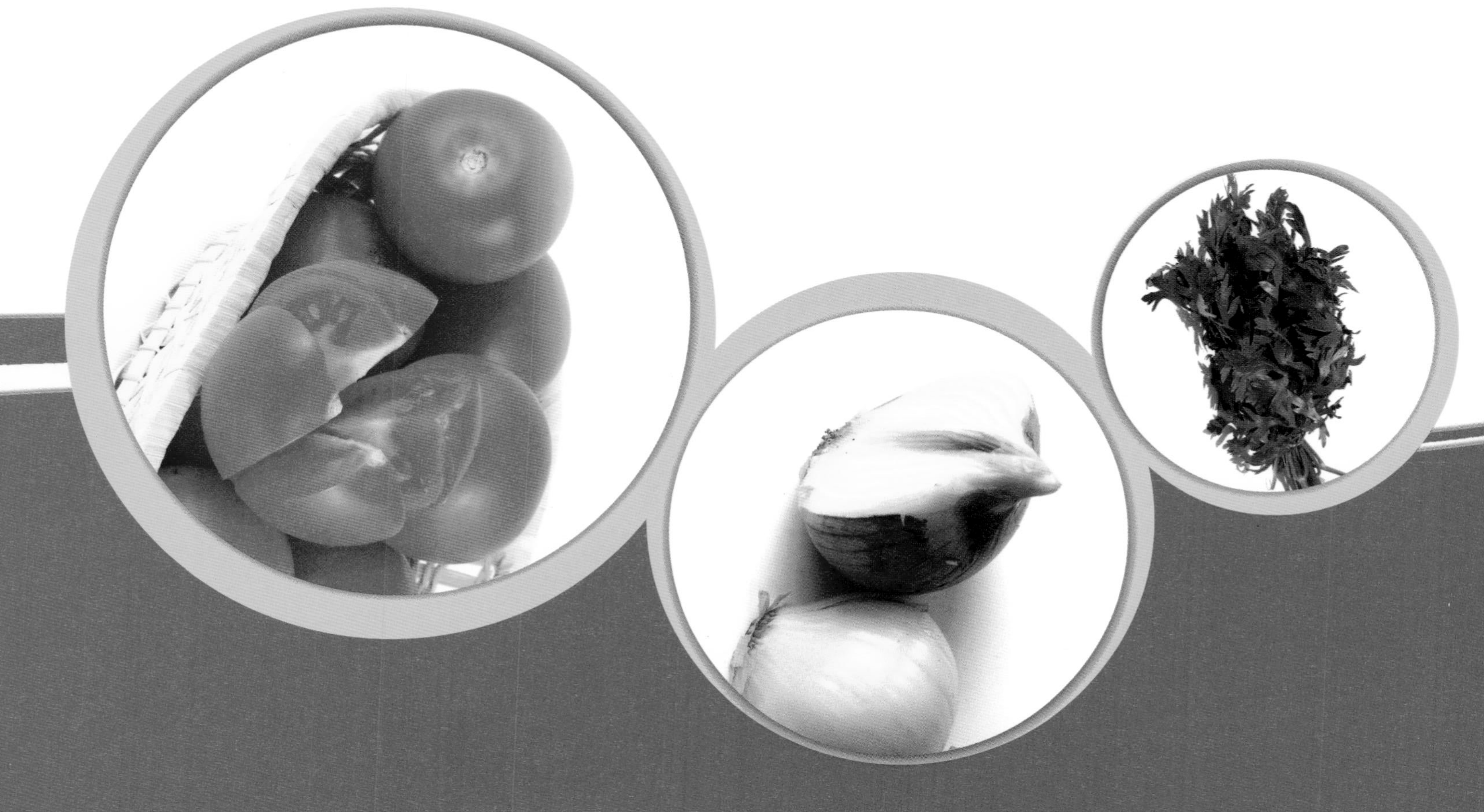

Plats de légumes

Brocoli aux amandes

INGRÉDIENTS :

1 kg (2 lb) de brocoli lavé, cuit à la vapeur
80 ml (1/3 tasse) d'huile d'olive
90 g (3 oz) d'amandes effilées
1 pincée de sel
1 pincée de curcuma
Un peu de poivre
Tofu

INSTRUCTIONS :

Pendant la cuisson du brocoli, faire chauffer l'huile dans une petite casserole. Ajouter les amandes et laisser chauffer 1 minute en secouant légèrement la casserole. Mettre le brocoli cuit dans un plat de service, saler et poivrer. Verser l'huile aux amandes sur le brocoli et servir sur des tranches de tofu nature.

INGRÉDIENTS ANTICANCER :

Huile d'olive, brocoli, curcuma, tofu.

Bouilli de légumes

INGRÉDIENTS :

2 carottes coupées en rondelles
2 pommes de terre coupées en dés
250 ml (1 tasse) de navet
250 ml (1 tasse) de brocoli
250 ml (1 tasse) de chou frisé haché
250 ml (1 tasse) de haricots rouges en conserve, rincés
250 ml (1 tasse) de petits pois
2 oignons
Sel de mer
1 feuille de laurier

INSTRUCTIONS :

Dans une casserole, mettre environ 2 cm (3/4 po) d'eau et ajouter la feuille de laurier, les carottes, les pommes de terre, les oignons et les navets. Faire cuire à feu moyen 15 minutes. Ajouter le brocoli, le chou frisé, les haricots rouges et les petits pois. Ajouter un peu d'eau si nécessaire. Ajouter ensuite l'assaisonnement. Au moment de servir, mettre un peu d'huile d'olive sur chaque portion.

INGRÉDIENTS ANTICANCER :

Haricots rouges, brocoli, chou frisé, oignons, huile d'olive.

Tarte aux poireaux

INGRÉDIENTS :

1 pâte à tarte
60 ml (1/4 tasse) de margarine
2 poireaux moyens tranchés
60 ml (1/4 tasse) de farine de blé entier à pâtisserie
200 ml (7 oz) de lait
Sel, au goût
Un peu de sarriette

INSTRUCTIONS :

Laver les poireaux, les couper en rondelles d'environ 0,5 cm (1/4 po) d'épaisseur et les déposer sur la croûte. Faire chauffer un peu le lait avec la margarine pour la faire fondre. Ensuite, passer au mélangeur le lait et la margarine avec la farine, la sarriette et le sel. Bien brasser, verser sur les poireaux et faire cuire 10 minutes au four à 200 °C (400 °F) puis 25 minutes à 160 °C (325 °F).

INGRÉDIENTS ANTICANCER :

Poireaux.

Choux de Bruxelles aux tomates

INGRÉDIENTS :

45 ml (3 c. à soupe) d'huile d'olive
2 gousses d'ail écrasées
1 gros oignon haché
1 poivron vert haché
500 g (1 lb) de tomates blanchies, pelées et hachées
60 g (2 oz) de pâte de tomates
750 g (1 1/2 lb) de choux de Bruxelles
1 ml (1/4 c. à thé) de basilic
5 ml (1 c. à thé) de sel
2,5 ml (1/2 c. à thé) de poivre
1 pincée de curcuma

INSTRUCTIONS :

Dans une marmite moyenne, faire chauffer l'huile à feu moyen. Y faire revenir l'ail, l'oignon et le poivron vert en remuant pendant 6 minutes. Ajouter les tomates, la pâte de tomates, les choux, le basilic, le curcuma, le sel et le poivre. Couvrir et faire cuire à feu doux de 15 à 20 minutes ou jusqu'à ce que les choux soient tendres. Servir immédiatement.

INGRÉDIENTS ANTICANCER :

Huile végétale, oignon, ail, choux de Bruxelles, basilic, tomates, pâte de tomates, curcuma.

Tourte grecque aux épinards

INGRÉDIENTS :

675 g (1 1/2 lb) d'épinards frais, nettoyés, asséchés et hachés
45 ml (3 c. à soupe) d'huile d'olive
2 oignons émincés
335 g (3/4 de lb) de jambon, en dés
30 m. (2c. à soupe) d'aneth frais, ciselé
60 g (2 oz) de parmesan râpé
120 g (4 oz) de fromage feta
1 pâte à tarte
1 œuf battu

INSTRUCTIONS :

Dans une grande poêle, faire tomber les épinards à feu doux (environ 10 minutes). Dans une autre poêle, faire chauffer l'huile et y faire revenir les oignons. Ajouter les cubes de jambon et laisser chauffer deux minutes. Verser les épinards cuits, l'aneth et les fromages. Assaisonner. Préchauffer le four à 300 °F (150 °C). Déposer la pâte dans une assiette à tarte. Remplir la croûte de la garniture chaude. Refermer la tourte avec une seconde abaisse. Battre un œuf et badigeonner le dessus de la tourte. Cuire au four pendant une heure.

INGRÉDIENTS ANTICANCER :

Huile d'olive, épinards, oignons.

Épinards à la florentine

INGRÉDIENTS :

1 kg (2 1/4 lb) d'épinards frais
30 ml (2 c. à soupe) d'huile d'olive
2 échalotes françaises
1 gousse d'ail émincée
15 ml (1 c. à soupe) de farine tout usage
3 tomates pelées, égouttées et concassées
125 ml (1/2 tasse) de bouillon de poulet
Poivre au goût
30 ml (2 c. à soupe) de crème 35 %
125 ml (1/2 tasse) de fromage cheddar râpé
125 ml (1/2 tasse) de parmesan frais
125 ml (1 c. à soupe) de farine tout usage
500 ml (2 tasses) de riz brun cuit

INSTRUCTIONS :

Blanchir les épinards à l'eau bouillante salée pendant cinq minutes. Égoutter et hacher. Dans une poêle, faire chauffer l'huile d'olive et y faire revenir les échalotes et l'ail. Saupoudrer de farine et mélanger. Verser les tomates et laisser mijoter pendant 15 minutes. Ajouter les épinards et le bouillon. Assaisonner et cuire pendant 30 minutes à feu doux. Lier avec la crème. Verser les légumes dans un plat beurré. Saupoudrer de fromage. Mettre sous le gril jusqu'à l'obtention d'une belle couleur dorée. Servir avec du riz.

INGRÉDIENTS ANTICANCER :

Huile d'olive, épinards, ail, tomates.

Pâtes et pizzas

Pâtes aux pétoncles

INGRÉDIENTS :

30 ml (2 c. à soupe) de beurre
2 gousses d'ail émincées
2 oignons verts hachés
500 ml (2 tasses) de champignons shiitake tranchés
250 ml (1 tasse) de vin blanc
250 ml (1 tasse) de crème 15 %
Poivre au goût
15 ml (1 c. à soupe) de fécule de maïs
30 ml (2 c. à soupe) d'eau
375 ml (1 1/2 tasse) de pétoncles moyens
5 ml (1 c. à thé) de thym frais, haché
450 g (1 lb) de pâtes linguine
Parmesan, au goût
30 ml (2 c. à soupe) de persil frais haché

INSTRUCTIONS :

Dans un chaudron, faire fondre le beurre à feu moyen. Faire revenir l'ail et les oignons verts pendant deux minutes. Ajouter les champignons et faire sauter pendant une minute. Arroser de vin blanc. Laisser réduire de moitié. Ajouter de la crème. Poivrer. Délayer la fécule de maïs dans l'eau et ajouter à la préparation. Laisser mijoter cinq minutes à feu doux. Ajouter les pétoncles et faire cuire jusqu'à l'obtention de la consistance désirée. Ajouter le thym. Verser sur les pâtes al dente. Saupoudrer de parmesan et de persil.

INGRÉDIENTS ANTICANCER :

Ail, oignons, persil.

Spaghettis au tofu et à l'ail

INGRÉDIENTS :

500 g (1 lb) de spaghettis
45 ml (3 c. à soupe) d'huile d'olive
250 ml (1 tasse) de tofu en petits cubes
5 gousses d'ail émincées
4 tomates italiennes concassées
45 ml (3 c. à soupe) de basilic frais, haché
Curcuma, au goût
Feuilles de basilic frais pour la décoration
Sel et poivre, au goût

INSTRUCTIONS :

Faire cuire les pâtes. Dans un grand chaudron, faire chauffer l'huile et y faire revenir l'ail avec les cubes de tofu. Ajouter les tomates et le basilic frais. Assaisonner, ajouter les spaghettis et mélanger pour bien imbiber les pâtes. Servir chaud.

INGRÉDIENTS ANTICANCER :

Huile d'olive, tofu, ail, tomates, basilic, curcuma.

Spaghettis aux légumineuses

INGRÉDIENTS :

500 g (1 lb) de spaghettis
15 ml (1 c. à soupe) d'huile d'olive
2 gousses d'ail émincées
1 ml (1/4 c. à thé) de piments broyés
1 petit chou-fleur en bouquets
250 ml (1 tasse) de brocoli haché
750 ml (3 tasses) de tomates en dés, avec leur jus
5 ml (1 c. à thé) de thym frais
15 ml (1 c. à soupe) d'origan frais, haché
15 ml (1 c. à soupe) de basilic frais, haché
250 ml (1 tasse) de bouillon de légumes
15 ml (1 c. à soupe) de vinaigre de vin rouge
1 pincée de sel
Curcuma, au goût
60 ml (1/4 tasse) d'olives noires en rondelles
250 ml (1 tasse) de pois chiches prêts à servir
250 ml (1 tasse) de haricots rouges prêts à servir
60 ml (1/4 tasse) de persil frais, haché

INSTRUCTIONS :

Faire cuire les pâtes. Entre-temps, faire chauffer l'huile dans un chaudron et y faire sauter l'ail 2 minutes. Ajouter les piments broyés, le brocoli et les bouquets de chou-fleur et laisser cuire 2 autres minutes. Ajouter les tomates, le thym, l'origan, le basilic, le curcuma, le bouillon de légumes, le vinaigre de vin, le sel et les olives. Porter à ébullition et laisser cuire 5 minutes. Ajouter les pois chiches et les haricots rouges et cuire encore 5 minutes. Ajouter le persil, mélanger et rectifier l'assaisonnement. Verser sur les pâtes chaudes.

INGRÉDIENTS ANTICANCER :

Huile d'olive, ail, chou-fleur, brocoli, tomates, curcuma, pois chiches, haricots rouges, thym, basilic, persil.

Recette de base de pâte à pizza

INGRÉDIENTS :

1/2 sachet (4 ml / 3/4 c. à thé) de levure
30 ml (2 c. à soupe) d'eau chaude
5 ml (1 c. à thé) de sucre
500 ml (2 tasses) de farine de blé entier à pâtisserie
5 ml (1 c. à thé) de sel de mer fin
125 ml (1/2 tasse) d'eau
15 ml (1 c. à soupe) d'huile d'olive

INSTRUCTIONS :

Activer la levure en la versant dans l'eau chaude. Ajouter le sucre et laisser doubler de volume pendant environ 10 minutes. Déposer la farine et le sel dans un grand bol opaque. Creuser un puits et y verser la levure. Mélanger, puis ajouter l'eau petit à petit. Façonner une boule ferme. Placer dans le bol, couvrir d'un linge propre et laisser gonfler au moins 2 heures. Une fois la pâte prête, l'aplatir, en y ajoutant un peu d'huile d'olive. Garnir et cuire une quinzaine de minutes ou jusqu'à belle apparence dorée.

Note: s'il y a trop d'eau dans la préparation de la pâte, ajouter un peu de farine.

INGRÉDIENTS ANTICANCER :

Huile d'olive.

Recette de base de sauce à pizza maison

INGRÉDIENTS :

750 ml (3 tasses) de tomates bien mûres, avec leur jus
30 ml (2 c. à soupe) de pâte de tomates
15 ml (1 c. à soupe) d'huile d'olive
1 oignon haché
1 gousse d'ail émincée
2,5 ml (1/2 c. à thé) de basilic frais, haché
2,5 ml (1/2 c. à thé) d'origan frais, haché
1 pincée de cassonade
1 ml (1/4 c. à thé) de piment de Cayenne (facultatif)
1 ml (1/4 c. à thé) de piments broyés (facultatif)
Sel et poivre, au goût
Curcuma, au goût

INSTRUCTIONS :

Passer les tomates au mélangeur afin d'obtenir une purée lisse. Verser l'huile dans un chaudron et y faire dorer l'oignon et l'ail quelques secondes. Ajouter le reste des ingrédients et laisser mijoter à feu doux environ 30 minutes, le temps de laisser réduire la sauce. Rectifier l'assaisonnement.

INGRÉDIENTS ANTICANCER :

Tomates, pâte de tomates, huile d'olive, oignon, ail, basilic, curcuma.

Pizza aux oignons rouges

INGRÉDIENTS :

30 ml (2 c. à soupe) d'huile d'olive
2 oignons rouges en lanières
125 ml (1/2 tasse) d'olives noires en rondelles
4 tomates italiennes en rondelles
Sel et poivre, au goût
45 ml (3 c. à soupe) de basilic frais, haché
1 pâte à pizza

INSTRUCTIONS :

Dans une poêle, faire chauffer l'huile et y faire revenir les oignons au moins 5 minutes. Ajouter les olives noires, mélanger, puis déposer sur les oignons et les olives les tranches de tomates. Laisser cuire 2 minutes. Assaisonner et saupoudrer de basilic. Étendre le mélange sur la pâte à pizza, et cuire au four à 200 °C (400 °F) 20 minutes ou plus.

INGRÉDIENTS ANTICANCER :

Huile d'olive, oignon, basilic, tomates.

Desserts

Bol de fruits frais

INGRÉDIENTS :

1/2 melon d'eau
1/4 cantaloup, en dés
1/4 melon miel, en dés
4 à 6 fraises en morceaux
4 kiwis, en quartiers
60 ml (1/4 tasse) de bleuets
125 ml (1/2 tasse) de jus d'orange
1 cannette de 355 ml (12 oz) de boisson gazeuse à la lime

INSTRUCTIONS :

Couper un melon d'eau en deux parties et le vider de sa chair. Tailler le bout de l'écorce du melon de sorte qu'il tienne comme un bol sur une surface plane. Couper en cubes la moitié de la chair du melon d'eau. Garder l'autre moitié pour une autre recette ou un autre service. Déposer dans le « bol » la chair de melon d'eau, le cantaloup, le melon miel, les fraises, les kiwis et les bleuets. Verser le jus et la boisson gazeuse, mélanger et réfrigérer avant de servir.

INGRÉDIENTS ANTICANCER :

Fraises, kiwis, bleuets, jus d'orange.

Gelée aux fruits frais

INGRÉDIENTS :

1 sachet de 15 ml (1 c. à soupe) de gélatine
375 ml (1 1/2 tasse) de jus d'orange
125 ml (1/2 tasse) d'eau bouillante
1 banane en rondelles
1 pomme en morceaux
250 ml (1 tasse) de bleuets
1/2 poire fraîche en morceaux
Chair de 1/4 de cantaloup, en dés

INSTRUCTIONS :

Dans une grande tasse à mesurer, mélanger la gélatine et le jus d'orange. Laisser prendre quelques minutes, puis verser l'eau bouillante afin de faire fondre la gélatine. Couper les fruits et les répartir dans des bols à dessert. Verser le liquide sur les fruits et réfrigérer 1 heure avant de servir.

INGRÉDIENTS ANTICANCER :

Jus d'orange, pomme, bleuets.

Thé glacé aux pommes

INGRÉDIENTS :

1 litre (4 tasses) d'eau
4 sachets (ou l'équivalent) de thé vert
15 ml (1 c. à soupe) de miel
500 ml (2 tasses) de jus de pomme
Tranches de citron

INSTRUCTIONS :

Faire bouillir l'eau. Déposer les sachets de thé au fond d'un pichet solide qui résistera au contact de l'eau bouillante. Verser l'eau sur le thé et laisser infuser 5 minutes. Dissoudre le miel dans l'eau maintenant parfumée, puis ajouter le jus de pomme. Refroidir en mettant au réfrigérateur ou en ajoutant des glaçons. Au moment de servir, déposer une tranche de citron dans chaque verre et verser le thé glacé dessus.

INGRÉDIENTS ANTICANCER :

Thé vert, jus de pomme, citron.

Pouding au chocolat et aux amandes

INGRÉDIENTS :

1 paquet de 300 g (10 1/2 oz) de tofu mou
125 ml (1/2 tasse) de poudre de cacao
1/4 de banane moyenne (bien mûre)
30 ml (2 c. à soupe) de noix de coco râpée
250 ml (1 tasse) de jus de pomme
60 ml (1/4 tasse) d'amandes moulues

INSTRUCTIONS :

Déposer dans le mélangeur le tofu et la poudre de cacao, mélanger à vitesse moyenne de 20 à 30 secondes. Ajouter les autres ingrédients et mélanger de nouveau à maximum pendant 1 minute. Réfrigérer de 2 à 3 heures avant de servir.

INGRÉDIENTS ANTICANCER :

Tofu, cacao, jus de pomme.

Biscuits au tofu, au miel et aux amandes

INGRÉDIENTS :

125 ml (1/2 tasse) de tofu mou
60 ml (1/4 tasse) de beurre fondu
80 ml (1/3 tasse) de miel
500 ml (2 tasses) de farine de blé entier
2,5 ml (1/2 c. à thé) de sel de mer
2,5 ml (1/2 c. à thé) de levure chimique
5 ml (1 c. à thé) d'essence d'amandes
125 ml (1/2 tasse) d'amandes moulues

INSTRUCTIONS :

Battre ensemble le tofu, le beurre, le miel jusqu'à consistance crémeuse. Mélanger les ingrédients secs puis les ajouter au reste. Bien mélanger. Déposer à la cuillère sur une plaque à biscuits préalablement huilée. Cuire au four à 180 °C (350 °F) de 10 à 15 minutes.

INGRÉDIENT ANTICANCER :

Tofu.

Biscuits multigrains

INGRÉDIENTS :

500 ml (2 tasses) de farine de blé entier à pâtisserie
160 ml (2/3 tasse) de tofu mou
30 ml (2 c. à soupe) de graines de sésame
30 ml (2 c. à soupe) de graines de tournesol
30 ml (2 c. à soupe) de graines de lin
30 ml (2 c. à soupe) de graines de citrouille
60 ml (1/4 tasse) de miel (non pasteurisé)
1 œuf
125 ml (1/2 tasse) de flocons d'avoine broyés
125 ml (1/2 tasse) d'huile de carthame
12 amandes
7,5 ml (1 1/2 c. à thé) de fécule de marante
1 ml (1/4 c. à thé) de cannelle
125 ml (1/2 tasse) de raisins secs
250 ml (1 tasse) de jus de pomme
2,5 ml (1/2 c. à thé) de sel de mer

INSTRUCTIONS :

Broyer les graines et les amandes au mélangeur ou au broyeur à noix. Dans un bol, mélanger avec le reste des ingrédients jusqu'à consistance homogène. Former de petites galettes, grandeur biscuits, et les déposer sur une plaque à biscuits. Préchauffer le four à 180 °C (350 °F) et cuire de 12 à 15 minutes.

INGRÉDIENTS ANTICANCER :

Tofu, graines de lin, huile de carthame, jus de pomme.

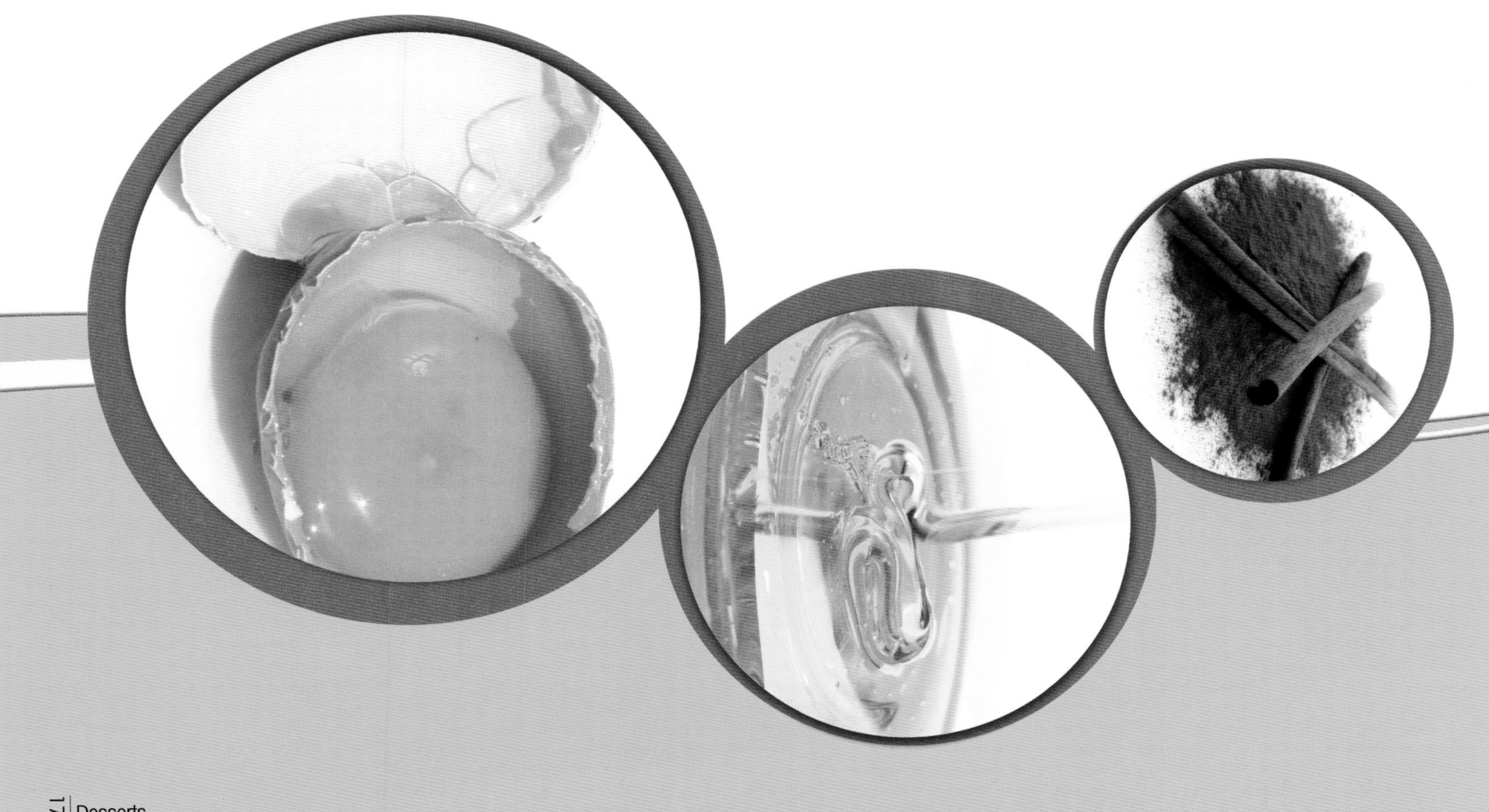

Pain aux bleuets

INGRÉDIENTS :

180 ml (3/4 tasse) de cassonade
60 ml (1/4 tasse) de beurre
1 œuf
125 ml (1/2 tasse) de lait
250 ml (1 tasse) de farine tout usage
250 ml (1 tasse) de farine de blé entier à pâtisserie
1 pincée de sel
10 ml (2 c. à thé) de poudre à pâte
1 ml (1/4 de c. à thé) de muscade
1 ml (1/4 de c. à thé) de gingembre moulu
500 ml (2 tasses de bleuets (frais ou congelés) égouttés
125 ml (1/2 tasse) de sucre
80 ml (1/3 tasse) de farine tout usage
2 ml (1/2 c. à thé) de cannelle
60 ml (1/4 tasse) de beurre ramolli

INSTRUCTIONS :

Dans un bol, réduire en crème la cassonade, le beurre et l'œuf. Ajouter le lait et mélanger. Tamiser les farines avec le sel, la poudre à pâte, la muscade et le gingembre. Verser en brassant sur le mélange liquide. Graisser un moule carré de 20 cm (8 po) et y étendre la pâte. Ajouter les bleuets uniformément sur la pâte. Dans un autre bol, mélanger le sucre avec 80 ml (1/3 tasse) de farine, la cannelle et le beurre. Verser sur les bleuets. Faites cuire au four 30 à 35 minutes à 375 °C (190 °C). Servir tiède avec de la crème ou de la crème glacée.

INGRÉDIENTS ANTICANCER :

Bleuets.

Clafoutis aux kiwis

INGRÉDIENTS :

60 ml (1/4 de tasse) de farine tout usage
85 ml (1/3 tasse) de sucre
3 œufs
250 ml (1 tasse) de lait
1 pincée de sel
45 ml (3 c. à soupe) de beurre
5 kiwis pelés, en rondelles
30 ml (2 c. à soupe) de sucre glace

INSTRUCTIONS :

Préparer une pâte à crêpes avec la farine, le sucre, les œufs, le lait et le sel. Beurrer un plat allant au four et y disposer les rondelles de quatre kiwis. Réserver le cinquième kiwi. Verser la pâte à crêpes. Enfourner à 400 °F (200 °C) pendant environ 45 minutes. Sortir du four et laisser tiédir. Garnir avec les tranches de kiwi réservé. Saupoudrer de sucre glace.

INGRÉDIENTS ANTICANCER :

Kiwis.

Pain bannique

INGRÉDIENTS :

1 l (4 tasses) de farine de blé entier à pâtisserie
2 ml (1/2 c. à thé) de sel
15 ml (1 c. à soupe) de poudre de pâte
250 ml (1 tasse) d'eau
15 ml (1c. à soupe) de sirop ou sucre d'érable
250 ml (1 tasse) de canneberges séchées
60 ml (1/4 de tasse) de chocolat noir en copeaux

INSTRUCTIONS :

Dans un grand bol, mélanger la farine, le sel et la poudre à pâte. Creuser un puits au milieu et y verser l'eau et le sirop ou le sucre d'érable. Mélanger doucement avec une cuillère à bois. Ajouter les canneberges et pétrir la pâte en la saupoudrant de farine si elle colle trop. Incorporer les copeaux de chocolat à la fin. Façonner deux galettes d'environ 4 cm (1,5 po) d'épaisseur. Cuire au four pendant 25 minutes à 400 °F (200 °C) sur une plaque à biscuits. Tourner les galettes et cuire encore 20 minutes. Servir chaud ou tiède.

INGRÉDIENTS ANTICANCER :

Canneberges, chocolats.